^{지 허} ^{함 야} ^{수 중} ^{독 야}
至虛 恒也 守中 篤也

허虛에 이르는 것은 꾸준함이오, 중中을 지키는 것은 진실함이다.

- 노자 -

-

도우암屠宇菴　편저

장원정蔣元庭　편집

송석봉　　　　번역

太乙金華宗旨

목차

서문

金華宗旨弁言

太乙金華宗旨

서 문

爲學者日益　爲道者日損　損之或損　以至無爲也　無爲而無不爲

학문을 닦는 자는 나날이 더하고, 도를 닦는 자는 나날이 덜어낸다.

덜어내고 또 덜어내어 무위無爲에 이르니 무위無爲로 닦지 못할 것이 없다.

현존하는 도덕경 중에서 가장 오래되었다는 노자 죽간본에 있는 글귀이다. 노자와 장자가 도가의 시조임에도 노자의 무위無爲와 장자의 무용無用을 수행의 비결로 생각하는 사람은 거의 없다. 그렇지만 이 책은 노자와 장자의 뜻을 온전히 이어가고 있다. 수행자의 눈으로 이 책을 본다면 수행에서 직면하는 다양한 문제들을 찾아내고 풀어낼 수 있으니, 그때에는 종지에 담긴 수행의 역사도 함께 가져가기를 부탁한다. 당연하게도 이 책에는 수많은 세대를 이어온 수행의 역사가 고스란히 담겨 있다.

동양 의학의 학술적 기반이 도가道家에 있고 동양 문화의 기저에 도道가 뿌리 깊게 자리하고 있지만, 불교가 이 땅에 들어오기 이전의 수행은 개인의 불로장생不老長生이었다. 육체를 수련하고 생명을 기르며 건강과 장생을 추구하였으나 부처의 가르침을 접한 이후로 장생불사長生不死가 육체가 아닌 정신의 길임을 깨닫게 된다. 노자의 무위無爲와 석가의 무심無心이 다르지 않고, 진리를 추구하는 불교와 기를 수련하는 도교가 종파와 교리는 다르지만 두 개의 길을 함께 가야

7

한다는 것을 알게 된다.

이렇게 도불道佛이 만나 정혜쌍수定慧雙修가 나타나고, 성명쌍수性命雙修하는 금화종지金華宗旨가 등장한다. 도불의 합작으로 선종禪宗과 금단金丹이 생겼으니 모두 정신과 육체를 같이 수련하는 것이 진정한 수행이라는 깨달음에서 시작된 길이다.

육체와 정신을 함께 수련하는 것은 누구나 할 수 있는 상식적인 수행이다. 신체를 단련했다면 마음을 닦아야 하고, 심성을 수련했다면 생명을 보충해야 한다. 정신이 고양되었으면 기운을 순수하게 만들어야 하니 이것이 정신의 오염 없이 살아가는 방법이고 건강의 지름길이며 최고의 수행이다.

지금으로부터 350여 년 전 1668년, 우암宇菴과 그 동료들이 정신과 육체, 성性과 명命을 함께 수행하는 비결을 정리하여 태을금화종지太乙金華宗旨를 발행하였다. 애석하지만 원본이 남아 있지 않고, 1755년에 발간된 여조전서呂祖全書에 소지림이 편집한 '선천허무태을금화종지先天虛無太乙金華宗旨'가 실려 있다. 또 1803년의 전서정종全書正宗과 1819년경 도장집요道藏輯要에는 장원정이 편집한 '태을금화종지太乙金華宗旨'가 있다. 그리고 1831년 고서은루장서古書隱樓藏書와 1834년 도장속편道藏續編에는 민일득이 편집한 '선천허무태일금화종지先天虛無太一金華宗旨'가 있다. 결국 현존하는 금화종지에는 소지림, 장원정, 민일득이 편집한 세 개의 금화종지가 있는 셈이다. 이후 장원정의 도장집요는 1906년도에 중간重刊되었으며, 이 책은 중간된 도장집요에 있는 '태을금화종지太乙金華宗旨'를 번역한 것이다.

소지림은 여조전서에서 실전된 금화종지를 여동빈의 강필을 받아 다시 제작한 것이라 말하고 있으나 이는 현실성이 없고, 고서은루장서에서 민일득은 용문龍門에 전래되던 자료를 바탕으로 장원정의 금화종지를 수정하여 출간하는 것이라고 밝히고 있다. 그러나 세 책이 모두 각 장의 제목과 순서가 같고 2장부터 13장까지는 주요 내용이 똑같은 점으로 미루어 보아, 금화종지의 원형을 그대로 유지하며 편집한 것으로 보인다.

소지림과 장원정의 금화종지에는 여러 조사의 당부의 글이 서문으로 있어 책의 완성도가 높고, 민일득의 금화종지에는 용문에서 전승되는 내용들이 주석으로 달려 있어 그 가치가 크다. 세 편집본이 모두 자기 종단에 유리하게 편집한 부분이 다소 있지만, 추가로 삽입된 부분이 가장 적고 전후의 맥락이 자연스러워 원본에 가장 가깝다고 판단되는 책은 장원정의 금화종지이다.

원래 금화종지는 한 사람의 저작이 아니라 여러 세대를 거쳐 완성된 책이다. 전체 13장 중에서 종지宗旨의 뿌리가 되는 가장 오래된 비결은 8장 소요결이며, 수행의 방법과 핵심을 전하고 있는 장은 3장 회광수중과 4장 회광조식, 본성의 깨달음을 전하고 있는 장은 10장 성광식광이다. 성광식광은 자타가 공인하는 명작으로 깨달음의 본질을 잘 설명하고 있다.

1921년에 북경에서 태을금화종지가 발행되었고, 그 책을 독일인 선교사 리하르트 빌헬름이 유럽으로 가져가 독일어로 번역하여 "Das Geheimnis der Goldenen Blute(황금꽃의 비밀)"이란 이름으로 1929년에 출판하였다. 우리나라에서는 2011년에 이윤희 고성훈님이 태을금화종지를 번역 출판하였고, 그 이후로 많은 이들이 종지의 이론을 사용하고 있다. 다만 안타까운 점은 종지의 뜻이 제대로 전달되지 못하는 현실이다. 여조왈呂祖曰을 여동빈의 저작이라 해석하고 금화金華를 황금꽃이라 해석하며, 회광回光을 단전에서 기를 돌리듯이 빛을 돌린다고 해석하니 회광을 수련하면 우주적인 진리가 빛처럼 쏟아진다는 환상까지 등장하게 되었다. 회광回光은 본래의 나를 찾는 호흡과 정신의 수련일 뿐, 우주적인 진리를 깨닫거나 호풍환우하는 도술이 아니다.

기존의 번역이 책의 일부를 번역한 것과는 달리 이 책은 도장집요에 실려 있는 종지의 원문 전체를 번역하였다. 물론 다른 판본에 있는 주석도 참고하였으며 정확한 해석을 위해 불경과 도교의 고전들도 참고하였다. 이 책에서 언급하는 불교나 도교라는 단어는 특정 종교나 종단을 지칭하는 것이 아니라, 불가佛家의 가르침을 불교라 표현하고 도가道家의 수행을 도교라 표현한 것이다.

젊은 시절에 도를 닦아보겠다고 이곳저곳 경험하면서 겪었던 고생을 생각하여 또 당시에 보았던 여러 적폐들을 대물림해서는 안 된다는 생각에 주관적인 해석을 최대한 배제하고 검증된 자료들을 기반으로 번역하였다.

수년간 작업한 결과물이지만 여러모로 투박하다. 독자들께 넓은 아량과 이해를 구하며 역자보다 더 크게 공부하는 독자가 되기를 소망한다.

끝으로 번역 작업에 몰두할 수 있도록 묵묵히 응원해주신 가족과 어머님께 깊이 숙여 감사드린다.

2023. 11. 29.　송 석 봉

(24.11.20.　수정)

金華宗旨弁言

孝悌王云皆奉綸音命上眞演化五陵之內渡拔多人今及凝
選七人焉其與諸子所談無非盡性至命之學非若世人言性
者不兼言命言命者或畧於言性本體上復加工夫有工夫莫
識本體以致失之覺聲謬以千里盡言性直達先天言命不離
冲漠性命合一體用兼該形色有形有色悉本天眞以爲用天性超形色以
還元性命之基命皆爲形色有形有色悉本天眞離六塵無見性
之地舍六根六塵皆爲立命之基識得六塵皆是本根則滴滴歸源矣
見得六根皆光明藏則處處靈通矣是故有一物不歸性量畢
竟見性之未眞有一處不關命脈難言立命之已至學入本性
氣何爲乎是書也本爲七人宏願流傳萬刧有其出世福音希
法門者虔奉持何患不立致九霄而飛昇紫府也
許遜陽眞君云天地設位聖人成能聖人亦人也何以成能於
天地蓋自日月垂象四時運行百卉蕃昌人物變化参錯不齊
而返於無故皆觀象而歸於化所以數往者順知來者逆順則
愚人見其自無而之有莫不滯於形至人則見其自有
爲人爲物爲山川巖谷爲草木禽魚爲風雨露雷爲龍蛇怪異
凡事變不可名狀者何易悉數逆則爲佛爲仙爲威音爲元始

孝悌王序
효 제 왕 서

昔奉綸音 命上眞演化五陵之內 渡拔多人。
석봉윤음 명상진연화오릉지내 도발다인

今又遴選七人焉 其與諸子所談 無非盡性至命之學。非若世人言性者 不兼言
금우린선칠인언 기여제자소담 무비진성지명지학 비약세인언성자 불겸언

命 言命者或略於言性 本體上復加工夫 有工夫莫識本體 以致失之毫釐 謬以千
명 언명자혹략어언성 본체상부가공부 유공부막식본체 이치실지호리 류이천

里。
리

옛날 상진上眞[1]으로 변화하라는 임금의 윤지를 받들어 오릉五陵[2] 안에서 많은 이들을 뽑아 지도하였다.

이제 다시 칠 인을 선발하니, 그들이 여러 제자들에게 가르치는 바가 진성盡性 지명至命[3]의 지극한 공부 아닌 것이 없다. 세상 사람들이 성性을 가르치며 명命을 겸해서 가르치지 못하고 명命을 가르치며 간혹 성性의 가르침을 생략하는 모습과는 사뭇 달랐으니, 본체本體 위에 다시 공부를 더하면 공부는 있으나 본체를 인식하지 못하고, 작은 것을 놓치고 천리만큼 틀어지는 것이다.

蓋言性直達先天 言命不離沖漠。性命合一 體用兼該 形色合天性以爲用 天性
개언성직달선천 언명불리충막 성명합일 체용겸해 형색합천성이위용 천성

超形色以還元。
초형색이환원

대체로 정신이 직접 선천先天[4]에 닿아야 성性을 가르칠 수 있고, 육체가 충막冲漠[5]의 고요를 벗어나지 않아야 명命을 가르칠 수 있다. 성명性命의 합일이 체용體用을 함께하는 것이니, 형색形色은 천성天性에 맞아야 작용이 되고 천성天性은 형색形色을 초월하여야 본래로 돌아간다.

六根六塵皆爲形色 有形有色悉本天眞。
육근육진개위형색 유형유색실본천진

離六塵無見性之地 舍六根無立命之基。識得六塵皆是本根 則滴滴歸源矣 見
이육진무견성지지 사육근무입명지기 식득육진개시본근 즉적적귀원의 견

得六根皆光明藏 則處處靈通矣。
득육근개광명장 즉처처영통의

是故有一物不歸性量 畢竟見性之未眞 有一處不關命脈 難言立命之已至。
시고유일물불귀성량 필경견성지미진 유일처불관명맥 난언입명지이지

육근六根과 육진六塵[6]이 모두 형색形色이나, 유형有形 유색有色이 모두 천진天眞에 뿌리가 있다.

육진을 벗어나 견성見性하는 자리는 없고 육근을 버리고 입명立命하는 터도 없다. 육진六塵이 모두 본근本根[7]임을 알게 되면 하나하나 근원으로 돌릴 수 있고, 육근六根이 모두 광명장光明藏[8]임을 보게 되면 어디서나 영과 소통할 수 있다.

그러므로 본성의 바다로 돌리지 못하는 것이 하나라도 있다면 결국 견성見性이 참되지 못한 것이고, 명맥命脈과 통하지 못하는 부분이 하나라도 있다면 입명立命에 이르렀다고 말할 수 없다.

學人本性命之學 上達玉淸 下徹泉壤 法身周徧大千 曲成萬物 廣大悉備 言性
학인본성명지학 상달옥청 하철천양 법신주편대천 곡성만물 광대실비 언성

而命無不該 言命而性無不具。彼以龍虎法象 煉形煉氣何爲乎?
이명무불해 언명이성무불구 피이용호법상 연형연기하위호

학인學人[9]의 근본은 성명지학性命之學으로 위로 옥청玉淸[10]에 닿고 아래로 천양泉壤[11]과 통하며, 온 세상에 가득한 법신과 만물이 넓고 크게 모두 준비하고 있어, 성性을 공부하며 명命을 수련할 수 있고 명을 수련하며 성을 공부할 수 있다. 저것이 용호龍虎로 법을 상징한 뜻이니 연형煉形 연기煉氣가 무엇인가?

是書也 本爲七人宏願 流傳萬劫。
시 서 야　본 위 칠 인 굉 원　류 전 만 겁

有具出世福 肩荷法門者 虔奉修持 何患不立致九霄[12] 而飛昇紫府也。
유 구 출 세 복　견 하 법 문 자　건 봉 수 지　하 환 불 립 치 구 소　　이 비 승 자 부 야

이 책은 본래 칠 인의 큰 소망으로 만대에 길이 전할 것이다.
가르침을 짊어지고 세상에 나서는 복을 갖추는 것은 정성을 다하는 수지修持[13]에 있으니, 어찌 바로 서지 못할까 염려하는가 구천九天에 닿아 자부紫府[14]에 오르리라.

1 상진上眞: 도가에서 말하는 최고의 경지. 최고의 경지에는 상선上仙, 상진上眞, 상성上聖이 있다.

2 오릉五陵: 중국 장안에 있는 지역 이름이다. 다섯 임금의 능이 있어 오릉이라 부르며, 풍류남녀들이 노는 곳이고 부호와 고관들이 사는 곳이라 한다.

3 진성지명盡性至命: '본성을 다하고 천명에 이른다'고 해석하나, 여기에 쓰인 진성지명盡性至命은 성도 지극하고 명도 지극한 공부라는 뜻이다.

4 선천先天: 도가에서는 하늘을 선천先天과 후천後天으로 구분하며 하늘에 있는 하늘은 선천, 인간에게 있는 하늘은 후천이라 한다.

[傳忠錄 先天後天論] 有天之天者 謂生我之天 生於無而由乎天也 有人之天者 謂成我之天 成於有而由乎我也 生者在前 成者在後 而先天後天之義 於斯見矣

[전충록 선천후천론] 하늘에 있는 하늘은 나를 태어나게 한 하늘이며, 무無에서 태어나니 하늘로 말미암은 것이다. 인간에게 있는 하늘은 나를 성장시키는 하늘이며 유有에서 성장하니 나로 말미암은 것이다. 태어남은 앞에 있고 성장은 뒤에 있으니 선천先天과 후천後天의 뜻을 여기에서 볼 것이다.

5 충막沖漠: 깊을 충, 넓을 막. 충막무짐沖漠無朕의 줄인 말이다. 고요하여 아무런 조짐이 없는 상태를 말한다. 사람이 현실에 감응하기 이전의 상태가 충막이며 고요이다. 명상을 수행하여 충막의 고요로 돌아가는 것이다.

[近思錄集解] 泉之未發曰沖 沙地曠遠曰漠 物之始生曰朕 沖漠無朕 總以形容本體之渾然耳

[근사록집해] 샘물이 아직 나오지 않은 것을 충沖, 모래땅이 아득하게 펼쳐진 것을 막漠, 물건이 처음 생하는 것을 짐朕이라 하니, 충막무짐沖漠無朕은 본체의 혼연(다른 것이 조금도 섞이지 않은 상태)한 모습을 묘사한 것이다.

6 육근六根과 육진六塵: 육근은 여섯 가지 인식 기능이다. 안眼: 눈으로 보고, 이耳: 귀로 듣고, 비鼻: 코로 맡고, 설舌: 혀로 맛보고, 신身: 몸으로 느끼고, 의意: 마음으로 느끼는 감각 기능이다. 이 여섯 감각으로 인식하는 현실의 정보를 육진六塵이라고 한다. 육진은 외부의 정보를 말하며 외계의 정보로 의식을 만들고, 이 의식으로 내면을 인식하기 때문에 오류가 발생한다.

7 본근本根: 사물의 본질이 되는 뿌리.

8 광명장光明藏: 광명光明은 빛이며, 궁극의 진리이다. 장藏은 간직하고 있다는 뜻이다.

16   太乙金華宗旨

9 학인學人: 공부하는 사람. 도를 공부하는 수행자, 구도자, 선비를 의미한다.

10 옥청玉淸: 도가에는 옥청玉淸 상청上淸 태청太淸의 세 개의 하늘이 있다.

11 천양泉壤: 지하 세계. 사람이 죽으면 가는 곳, 저세상을 말한다.

12 구소九霄: ①하늘의 가장 높은 곳. ②하늘을 아홉 방위로 나누어 부르는 구천九天.

13 수지修持: 수행이 마음에 자리잡을 때까지 몸에서 떼어놓지 않는 것.

14 자부紫府: 하늘에 있는 궁궐의 이름이다.

※ 성명지학性命之學은 금화종지의 정체성을 표현한 단어이다. 금화종지가 성性과 명命을 함께 수련하는 공부라는 뜻이다. 수행 세계에서 성과 명은 수행의 두 측면으로 본성 공부와 생명 수련을 말한다. 본성을 뜻하는 성性은 깨달음을 찾는 정신 수련이고, 생명을 뜻하는 명命은 생명을 유지하는 힘을 발견하고 그 힘을 기르는 육체 수련이다. 명 수행이 기를 보충하고 생명을 연장하는 것이라면, 성 수행은 마음과 정신으로 진리를 깨우치고 각성하는 공부이다.

그러나 마음과 정신의 공부로는 육체의 속박을 피할 수 없어 번뇌와 질병이 남고, 육체와 기 수련으로는 마음의 무명無明을 벗어날 수 없으니 정신 공부와 육체 수련을 함께해야 한다. 육체가 충막沖漠의 고요에 있을 때 진정한 숨眞息을 쉴 수 있고 정신이 선천先天에 닿을 때 본성을 볼 수 있다.

※ 변언弁言은 머리말이다. 편저자들이 도문道門의 연원과 수행에 임하는 당부를 서문으로 만든 것이다. 효제왕은 효도 근본을 주장하는 도교의 신선으로 허정양에게 금단金丹을 전했다고 한다. 효제왕이 저술한 것이 아니라 효제왕의 뜻을 이어간다는 의미이다.

許旌陽眞君序
허 정 양 진 군 서

逍遙墟經　弁言

命之學上達玉清下徹泉壤法身周徧大千曲成萬物廣大悉

備言性而命無不該言命而性無不具彼以龍虎法象煉形煉

氣何爲乎是書也本爲七人空願流傳萬劫有其出世福胄希

法門者虔奉修持何患不立致九霄而飛昇紫府也

許旌陽眞君云天地設位聖人成能聖人亦人也何以成能於

天地蓋目日月垂象四時運行百卉蕃昌人物變化參錯不齊

愚人見其自無而之有莫不溺於形至人則見其自有

而返於無故皆觀象而歸於化所以數往者順知來者逆順則

爲人爲物爲山川巖谷爲草木禽魚爲風雨露雷爲龍蛇怪異

凡事變不可名狀者何易悉數逆則爲佛爲仙爲威音爲元始

“天地設位 聖人成能”。聖人亦人也 何以成能於天地?
천지설위 성인성능   성인역인야 하이성능어천지

역경易經에 “천지는 만물의 자리를 만들고 성인은 기능을 완성한다”고 하였
다. 성인 역시 사람이거늘 어떻게 천지에서 기능을 완성하는가?

蓋自日月垂象 四時運行 百卉蕃昌 人物變化 參錯不齊。
개 자 일 월 수 상 사 시 운 행 백 훼 번 창 인 물 변 화 참 착 부 제
愚人見其自無而之有 莫不執有而滯於形 至人則見其自有而返於無 故皆觀象
우인견기자무이지유 막부집유이체어형 지인즉견기 자유이반어무 고개관상
而歸於化。
이 귀 어 화

대체로 일월日月이 상象을 드리워 사시四時가 운행하고 초목草木이 번창하나,
사람과 사물은 변화하고 뒤섞여 크고 작은 차이로 서로 다르게 된다.
어리석은 사람은 그것을 보고 무無에서 유有로 나아가니 유有에 집착하여 형
形에 걸리지 않는 자가 없고, 지인至人[1]은 그것을 보고 유有에서 무無로 돌아
가니 모두가 상象을 보고 조화로 돌아간다.

所以數往者順 知來者逆。順則爲人爲物 爲山川巖谷 爲草木禽魚 爲風雨露雷
소 이 삭 왕 자 순 지 래 자 역   순 즉 위 인 위 물 위 산 천 암 곡 위 초 목 금 오 위 풍 우 로 뢰
爲龍蛇怪異。
위 용 사 괴 이
凡事變不可名狀者 何易悉數?
범 사 변 불 가 명 상 자 하 이 실 수

그러므로 반복해서 나가는 자는 순응하고, 돌아갈 줄 아는 자는 역행한다.
순응하면 사람이 되고 물건도 되며 산천의 바위와 계곡이 되고 풀과 나무,
새와 물고기도 되며 비바람과 천둥번개가 되고 이무기와 괴물도 된다.
하는 일마다 성정이 변화하여 말로 표현할 수 없는 상태에 놓이는 것을 어

찌 다 헤아리겠는가?

逆則爲佛爲仙　爲威音爲元始　爲贊化育之至聖　爲知化育之至誠。
역 즉 위 불 위 선　위 위 음 위 원 시　위 찬 화 육 지 지 성　위 지 화 육 지 지 성

甚矣　一順一逆之間　爲人鬼異路　聖凡分界。本是同得之聖體　而獨讓至人成能
심 의　일 순 일 역 지 간　위 인 귀 이 로　성 범 분 계　본 시 동 득 지 성 체　이 독 양 지 인 성 능

而與知與能之　愚百姓日用之　而不知返其本初　亦甚可哀也已。
이 여 지 여 능 지　우 백 성 일 용 지　이 부 지 반 기 본 초　역 심 가 애 야 이

역행하면 부처가 되고 신선도 되며, 위음威音[2]이 되고 원시元始[3]도 되며, 만
물의 성장을 돕는 지성至聖이 되고 만물의 조화를 아는 지성至誠도 된다.
안타깝다. 한 번 순응하고 한 번 역행하는 사이에 사람과 귀신의 다른 길이
있으니 성인과 범인의 경계가 여기서 나뉘어진다. 본래 똑같이 타고난 성인
의 몸이거늘 어찌 지인至人들만 기능을 완성하고, 함께 알아야 함께 행하는
어리석은 사람들이 매일 사용하면서도 그것을 본래의 처음으로 되돌려야 함
을 깨닫지 못하니 참으로 애석할 따름이다.

《易》曰 “乾坤毀　則無以見易”。
　역　왈　건 곤 훼　즉 무 이 견 역

人身一天地　天地有日月萬象開明　人身亦有日月。
인 신 일 천 지　천 지 유 일 월 만 상 개 명　인 신 역 유 일 월

故曰 “乾坤爲易之門戶”。
고 왈　건 곤 위 역 지 문 호

人有日月精華發露　其猶重門洞開。從此直登丹闕而上玉清也。抑何難哉?
인 유 일 월 정 화 발 로　기 유 중 문 동 개　종 차 직 등 단 궐 이 상 옥 청 야　억 하 난 재

역易에 이르기를 “건곤乾坤[4]이 훼손되면 역易을 볼 수 없다”고 하였다.
사람의 몸이 천지天地와 같고, 천지에 일월日月이 있어 만상萬象을 개명開明[5]
하듯이 사람의 몸에도 일월日月이 있다.
그래서 건곤을 역易의 통로라 하는 것이다.

사람의 몸에 일월日月이 있어 내면의 정화를 밖으로 구현하니, 그것은 집안에 있는 중문重門을 여는 것과 같다. 이를 따라 바로 오르면 단궐丹闕[6]이고 그 위가 옥청玉淸이다. 도대체 무엇이 어려운가?

要不外目前之利用　出入愚百姓之易知簡能。
요 불 외 목 전 지 이 용　출 입 우 백 성 지 이 지 간 능
此至人普度心傳　所以爲無量歟!
차 지 인 보 도 심 전　소 이 위 무 량 여

요컨대 눈앞을 벗어나지 않고 이용하면 보통 사람도 쉽게 알아차리고 간단하게 출입할 수 있다.
지인至人들이 이것을 세상에 전하기 위해 마음으로 남기고, 그 까닭에 무한無限하게 되었도다.

1 지인至人: 수행이 경지에 이른 사람을 지인이라고 한다. 이 책에서는 유有에서 무無로 돌아가는 자를 지인이라 하였다. '장자'에서는 지인무기至人無己 신인무공神人無功 성인무명聖人無名이라 하여 개인을 벗어나야 지인이라 하였다.

2 위음威音: 위엄 위, 소리 음. 위음은 장엄한 음성이라는 뜻이며, 천지가 시작하는 태초太初를 의미한다. 불교에서는 세상의 시작과 함께하는 최초의 부처를 위음왕불威音王佛이라고 한다.

3 원시元始: 도교에서는 우주의 근원이며 천지만물의 시작인 원시元始를 신격화하여 원시천존元始天尊이라 부른다.

4 건곤乾坤: 하늘 건, 땅 곤. 건곤은 하늘과 땅, 양과 음, 정신과 육체 등을 상징한다. 인체에서는 머리를 건乾, 복부를 곤坤이라 한다.

5 개명開明: ①문명을 개화하거나 문명이 발달하는 것. 미개未開의 반대말이다. ②생각이 깨어나는 것을 의미한다.

6 단궐丹闕: ①붉을 단, 궁궐 궐. 붉은 색으로 칠해진 궁궐의 대문을 단궐이라 한다. ②붉을 단, 미간 궐. 궐闕이 때로는 양미간兩眉間을 의미한다.

※ 삭왕자순數往者順 지래자역知來者逆은 역경에 나오는 말이다. 보통은 왕往과 래來를 과거와 미래로 해석하여 과거를 헤아리는 것은 순행이고 미래를 아는 것은 역행이라고 해석한다. 그러나 이는 미래를 예측하는 점占의 측면에서 해석한 것이고, 수행에서 왕래往來는 정신과 기운의 왕래를 말한다. 정신과 기운이 밖으로 나가는 것은 왕往, 안으로 돌아오는 것은 래來이다. 활동할 때는 밖을 향하고 고요할 때는 내면을 향하는 정신과 기운의 왕복 운동을 왕래往來라고 한다. 유有를 쫓으면 정신과 기운은 자연히 밖을 향하고, 이는 밖을 향하는 눈과 마음에 대한 순응順이다. 유有에서 무無로 마음을 돌리면 정신과 기운은 자연히 내면을 향하고, 이는 밖을 향하려는 눈과 마음에 대한 역행逆이 된다.

※ 왕래往來 승강升降 부침浮沈 취산聚散 이합離合: 정신과 기운의 운동을 표현하는 단어들이다. 정신과 기운이 나가고 돌아오는 왕래往來, 올라가고 내려오는 승강升降, 뜨고 가라앉는 부침浮沈, 모이고 흩어지는 취산聚散 등이다.

※ 허정양은 허손許遜(239~374)으로 진나라 시대의 도사이다. 태강 원년(280)에 정양령을 지냈기 때문에 허정양으로 불린다. 평소 충효를 중시하여 충효신선, 허천사 등으로 불리며 정명충효도淨明忠孝道에서 조사로 모신다. 충忠은 내면을 뜻하는 중中과 마음 심心이 합쳐진 글자로 안에 있는 마음, 본래의 마음을 의미한다. 그래서 충忠은 자기 내면에 대한 성실을 의미하는 글자였으나, 후대에 권력자와 학자들에 의해 국가와 임금에 대한 충忠으로 그 의미가 변화하였다. 허정양의 뜻을 이어 간다는 의미로 작성한 서문이다.

張三丰祖師序
장삼봉조사서

為贊化育之至聖爲知化育之至誠甚矣一順一逆之間爲人

鬼異路聖凡分界本是同得之聖體而獨讓至人成能而與知

與能之愚百姓之而不知返其本初亦甚可哀也己易日

乾坤毀則無以見易也己易人身一天地有日月萬象開明人身

亦有日月故日乾坤爲易之門戶人有日月精華發露其猶重

門洞開從此直登丹闕而上玉清也抑何難哉要不外目前之

利用出入愚百姓之易知簡能此至人普度心傳所以爲無量

歟

張三丰祖師云道也者時爲而己日月往來寒暑遷變草木生

長禽鳥飛鳴以及吾人日用動靜莫非運用一時之中變化無

《金華宗旨》

▊弁言

端時至自見斯爲天地之心不可以一名而況於他乎我來也

晚陽窮於上剝換盡矣兹當一陽初復條然而來莫窮其迹莫

究其因大地陽和己無不潛行而默運以爲此天地之轉運也

而天地不得而自主以爲此日月之進退也而日月亦聽其自

然風雲變易乎上草木萌動於下大矣哉時之爲用也是故

道者不離目前卽一言一動一事一物無不可以見天地之心

蓋此天地之心任陰陽剝換時令推遷而無思無爲終古寂然

不動今人舍目前而談玄說妙則達乎時也違時卽與道背馳

何時而有見道之日乎天下之一動貞於一動變不居何可言盡

觀乎時而萬變皆在目前矣從目前一一消歸於太虛謂之見

道也者 時焉而已。日月往來 寒暑遷變 草木生長 禽鳥飛鳴 以及吾人日用
도야자 시언이이　일월왕래　한서천변　초목생장　금조비명　이급오인일용

動靜 莫非運用一時之中 變化無端 時至自見。
동정　막비운용일시지중　변화무단　시지자견

斯爲天地之心 不可以一名 而況於他乎?
사위천지지심　불가이일명　이황어타호

도道라는 것[1]은 시時[2]일 뿐이다. 일월日月의 왕래와 계절의 변화와 초목의 성
장과 새들의 지저귐과 인간의 일상 동정動靜[3]에 이르기까지 하나의 시간 안
에서 운용하지 않은 적이 없고 변화는 끝이 없으며 때가 되면 저절로 드러
난다.
이것이 천지의 마음天地之心이며 일체의 언어로 형용할 수 없으니 다른 것이
야 오죽하겠는가?

我來也晚 陽窮於上 剝換盡矣。
아래야만　양궁어상　박환진의

茲當一陽初復 倏然而來 莫窮其迹 莫究其因 大地陽和 已無不潛行而默運。
자당일양초복　숙연이래　막궁기적　막구기인　대지양화　이무불잠행이묵운

以爲此天地之轉運也 而天地不得而自主 以爲此日月之進退也 而日月亦聽其
이위차천지지전운야　이천지부득이자주　이위차일월지진퇴야　이일월역청기

自然。
자연

내가 돌아오는 것이 늦어져 양기陽氣는 위에서 곤궁하고 변환은 다하였다.
처음을 회복하는 일양一陽 초복初復은[4] 홀연히 찾아오니, 흔적을 찾지 못하고
원인을 밝히지 못해도 대지大地는 양기로 가득하며[5] 드러내지 않고 묵묵하게
운행하지 않은 적이 없다.
이렇게 하는 것이 천지天地의 운행이니 천지는 자기를 주장하지 않고, 이렇
게 하는 것이 일월日月의 진퇴進退이니 일월은 자연의 도리를 따를 뿐이다.

風雲變易乎上 草木萌動於下。大矣哉 時之爲用也。
풍 운 변 역 호 상   초 목 맹 동 어 하   대 의 재   시 지 위 용 야

是故言道者 不離目前。卽一言一動 一事一物 無不可以見天地之心。
시 고 언 도 자   불 리 목 전   즉 일 언 일 동   일 사 일 물   무 불 가 이 견 천 지 지 심

蓋此天地之心 任陰陽剝換 時令推遷 而無思無爲 終古寂然不動。
개 차 천 지 지 심   임 음 양 박 환   시 령 추 천   이 무 사 무 위   종 고 적 연 부 동

바람과 구름은 위에서 변화하고 바뀌며, 풀과 나무는 아래에서 싹을 틔우고 움직인다. 대단하다, 시時의 작용이여.

그러므로 도道를 말하는 자는 불리목전不離目前[6]이다. 눈앞에서 벗어나지 않으니 하나의 말과 하나의 동작, 하나의 사건과 하나의 사물에서 모두 천지의 마음을 볼 수 있다.

이 천지의 마음은 음양의 변환을 맡아 시령時令[7]의 추이를 만들고 무사無思무위無爲하며 깊은 고요 속에서 영원히 동動하지 않는다.

今人舍目前而談玄說妙 則違乎時也。
금 인 사 목 전 이 담 현 설 묘   즉 위 호 시 야

違時卽與道背馳 何時而有見道之日乎?
위 시 즉 여 도 배 치   하 시 이 유 견 도 지 일 호

天下之動 貞於一 動變不居 何可言盡?
천 하 지 동   정 어 일   동 변 불 거   하 가 언 진

오늘날 사람들이 눈앞을 버리고 깊은 곳을 논하며 오묘함을 말하니 시時에 어긋나는 것이다.

시時에서 어긋나면 도道와 반대로 달리니 언제나 도道를 보는 날이 있겠는가? 천하의 움직임은 하나로 올곧아 변동에 머물지 않으니 어찌 인간의 언어로 표현할 수 있겠는가?

觀乎時而萬變皆在目前矣。
관 호 시 이 만 변 개 재 목 전 의

從目前一一消歸於太虛 謂之見天地之心可 謂之大道之宗旨可。
종목전일일소귀어태허 위지견천지지심가 위지대도지종지가

時也 化也 要不離乎目前而得之矣。
시야 화야 요불리호목전이득지의

何道之可名 何太乙之可言乎?
하도지가명 하태을지가언호

故曰 道也者 時焉而已。
고왈 도야자 시언이이

시時에서 보면 온갖 변화가 모두 눈앞에 있다.

눈앞에서 하나하나 제거하여 태허太虛로 돌아가니, 이를 견천지지심見天地之心

[8]이라 함이 옳고 이를 대도의 종지宗旨라 부름이 옳다.

시時는 조화이고 눈앞을 벗어나지 않아야 터득하는 것이다.

무엇으로 도道를 형용하고 무엇으로 태을太乙을 설명할 수 있겠는가?

그래서 도道라는 것이 시時인 뿐이라고 만한 것이다.

---

1 도道라는 것: 도야자道也者

[中庸] 道也者 不可須臾離也 可離非道也. 喜怒哀樂之未發 謂之中 發而皆中節 謂之和 中也者 天下之大本也 和也者 天下之達道也 致中和 天地位焉 萬物育焉

[중용] 도道라는 것은 잠시도 벗어날 수 없는 것이니 벗어날 수 있으면 도가 아니다. 희로애락喜怒哀樂이 피어나기 이전이 중中이고 피어났으나 모두 절도에 맞으면 화和이다. 중中이라는 것은 세상의 큰 근본이며 화和라는 것은 세상이 마땅히 지켜야할 도리이니, 중中과 화和가 지극하면 천지天地가 자리하고 만물萬物이 자라난다.

2 시時: ①해와 달의 순환으로 만들어지는 시간時間. ②일정한 일이나 현상이 일어나는 때.

3 동정動靜: 활동과 멈춤. 아침에 깨어나는 것은 동動, 밤에 잠드는 것은 정靜. 정신과 기운이 살아서 움직이는 것은 동動, 기운이 멈추고 정신이 휴식하는 것은 정靜.

4 일양초복一陽初復: 하나의 양, 일양一陽이 처음의 모습을 회복하는 것이다. 64괘 중에 지뢰복괘地雷復卦에 해당한다. 음력으로는 11월이며, 인생의 끝에서 새로운 길을 찾는 것과 같다. 음기가 가득한 상황에서 정신의 각성이 일어나고, 이는 깊은 물속에서 하나의 양陽이 생기는 것이다. 얼어붙은 땅속에서 새로운 정신이 부활하는 것이며 하나의 양이 켜켜이 쌓여 있는 음기를 뚫고 성장하는 것이니 많은 고난이 따른다. 동류同類의 도움이 필요하고 또한 인간적인 욕심에 의해 손상되지 않도록 보호해야 한다.

5 양화陽和: 봄기운이 화창하거나 햇볕이 온화한 상태. 양기陽氣가 가득한 모습.

6 불리목전不離目前: 눈앞을 벗어나지 않는다. 정신이 자기를 떠나지 않는다는 뜻이며, 상념에도 정신이 흔들리지 않는 것이다. 상념이 들면 눈앞에 고정해 놓은 시선이 움직이게 된다. 때문에 이 수행 기전을 깨달은 사람은 정신이 눈앞에서 떠나지 않게 한다.

[臨濟錄] 學人 若眼定動 即沒交涉 疑心即差 動念即乖 有人解者 不離目前

[임제록] 공부하는 자가 만약 고정된 눈이 움직이면 즉시 교류는 사라지고, 의심하면 바로 어그러지고 상념이 동하면 바로 끊어진다. 누구라도 이해한 자는 눈앞을 벗어나지 않는다.

7 시령時令: 때 시, 명령 령. 춘하추동 사시四時가 자연의 시령時令이다. 봄은 탄생, 여름은 성장, 가을은 수렴, 겨울은 땅속으로 들어가는 칩장이다. 정신에도 탄생과 성장, 수렴과 소멸이 있다. 인생의 전반기는 정신의 탄생과 성장이 중점 과제이고, 인생의 후반기는 정신의 수렴과 소멸이 중점 과제이다.

8 견천지지심見天地之心: '천지의 마음을 본다'는 뜻이며, 견성見性을 견천지지심見天地之心으로 풀이한 것이다. 장삼봉의 서문에서는 불리목전不離目前과 견천지지심見天地之心으로 본성 공부의 방법을 제시하고 있다.

※ 무위無爲: 대체로 무위의 위爲를 '인위'와 '조작'으로 해석하여, 인위적인 행위가 없는 것을 무위라고 한다. 그래서 무위無爲의 반대는 유위有爲이고, 유위는 인위와 조작이 있는 현실 세계를 의미한다. 이것은 현실이 위선이라는 뜻이 아니라 현실은 원인·조건 등을 따라 끊임없이 변화한다는 뜻이다. 수행 세계에서 무위無爲는 유위有爲를 없애는 것이며, 유위가 만드는 상념을 하나하나 돌려보내 무無로 돌아가는 것이다.

※ 장삼봉(1247~1366)은 요동 의주 사람이며 이름은 군실君實이고 삼봉三丰은 그의 호이다. 원나라, 명나라 때의 유명한 도사이며 무당파와 내가권의 시조로 알려져 있다. 저서로는 대도론, 현기직강, 현요편, 무근수 등이 있다. 무당파에서는 장삼봉을 고려인이라고 한다. 장삼봉 조사의 뜻을 이어받아 작성된 글이다.

通明上相邱長春祖師序

통명상상구장춘조사서

天地之心可謂之大道之宗旨可時也化也要不離乎目前而
得之矣何道之可名何太乙之可言乎故目道也者時焉而已
通明上相邱長春祖師云昔隨侍呂祖與諸子標示宗旨如易
從爻卦以前言太極也越數年許子深菴偕易養滄菴輩又得
大暢宗風如易言太極生兩儀兩儀生四象而四時行百物生
天地日月山河鬼神同體合德無時無處而非宗旨之大全矣
今何時乎大地冰堅草木黃落龍蛇蟄藏風日眞漠將以爲萬
物退藏而歸於溫閟乎乃朔風何自而來凍雲何自而起霜淸
月落曉日迎暄鶴羽翩躚來尋法侶提起舊時公案一如在
目前往日舊遊又成故跡則當此立冬亦任草木之凋殘風霜

道藏輯要　金華宗旨　升言　三　室集二

之變易而已何容心哉其聚其散就往就來其猶朔風
憑虛而忽至散而往其若凍雲飄然而西馳歟者不可以爲常
散者豈終就於滅物情變化來往無端則自五行四時而太極
而歸於無極也萬古一時寒暄一息有此刻之燭光日影霜花
筆妙則爲宗旨之現前爲宗風之大暢爲作序之大成舍此而
言五行四時太極無極無極恐未免失之千里矣
諺長眞頁人云聖眞無日不在世度人究竟何嘗度得一人亦
世人能自度耳若世人與聖眞性豈有增減分毫便是度不去
聖祖初發顯度生已度百千萬億却無量眾生度此七八非
七八也卽七如來毘盧遮那無量法身也諸子不離凡夫地何

昔隨侍呂祖 與諸子標示宗旨 如易從爻卦以前言太極也。
석 수 시 여 조 여 제 자 표 시 종 지 여 역 종 효 괘 이 전 언 태 극 야

越數年 許子深菴 偕易菴滄菴輩 又得大暢宗風 如易言太極生兩儀 兩儀生四
월 수 년 허 자 심 암 해 역 암 창 암 배 우 득 대 창 종 풍 여 역 언 태 극 생 양 의 양 의 생 사

象 而四時行百物生。
상 이 사 시 행 백 물 생

옛날 여동빈을 모시고 여러 제자들과 더불어 종지宗旨를 표현하여 보니, 역
易에서 괘와 효를 놓기 전에 태극太極을 말하는 것과 같다.

여러 세월이 흘러 허정양의 제자 심암이 역암, 창암 등과 함께 또다시 종풍
宗風을 크게 일으키니, 이는 태극이 양의를 낳고 양의는 사상을 낳아 사시四
時가 운행하고 만물이 생장한다는 역易의 가르침과 같다.

天地日月山河鬼神 同體合德[1] 無時無處而非宗旨之大全矣。
천 지 일 월 산 하 귀 신 동 체 합 덕 무 시 무 처 이 비 종 지 지 대 전 의

今何時乎? 大地冰堅 草木黃落 龍蛇蟄藏 風日冥漠。
금 하 시 호 대 지 빙 견 초 목 황 락 용 사 칩 장 풍 일 명 막

將以爲萬物退藏而歸於寧閟乎?
장 이 위 만 물 퇴 장 이 귀 어 녕 비 호

乃朔風何自而來 凍雲何自而起?
내 삭 풍 하 자 이 래 동 운 하 자 이 기

천지일월天地日月과 산하귀신山河鬼神이 한 몸처럼 작용을 일치하여 언제 어디
서나 종지宗旨가 완전하지 못하다.

지금이 어떠한 시대인가? 대지는 얼어붙어 단단하고 초목草木이 누렇게 떨
어지며 영웅과 현자는 은둔하고 세상은 어둡고 막막하다.

장차 만물을 퇴장시켜 모두 끝내고 돌아가려 하는가?

또 매서운 삭풍은 어디에서 불어오고 차가운 눈구름은 어디에서 일어나는가?

霜淸月落 曉日迎暄 鶴羽翩躚 來尋法侶。
상청월락 효일영훤 학우편선 래심법려

提起舊時公案 一一如在目前。
제기구시공안 일일여재목전

往日舊遊 又成故跡 則當此玄冬 亦任草木之凋殘 風霜之變易而已 何容心哉?
왕일구유 우성고적 즉당차현동 역임초목지조잔 풍상지변역이이 하용심재

맑은 서리에 달이 지고 새벽 해에 온기 받으며, 학의 날개 나부끼고 법려法
侶[2]를 찾아 나선다.

옛 시절의 공안公案[3]을 꺼내 드니 하나하나 눈앞에 있는 듯하다.

지난 기록과 흔적 속에서 다시금 옛 자취를 이루니 당연하게도 이 깊고 어
두운 겨울은 초목의 쇠잔을 맡아 매서운 풍상이 되었을 뿐이라, 어찌 마음
에 담아 두겠는가?

其聚其散 孰往孰來?
기취기산 숙왕숙래

聚而來 其猶朔風憑虛而忽至 散而往 其若凍雲飄然而西馳。
취이래 기유삭풍빙허이홀지 산이왕 기약동운표연이서치

聚者不可以爲常 散者豈終就於滅?
취자불가이위상 산자기종취어멸

그것을 응집하고 그것을 발산[4]하니 무엇이 나가고 무엇이 돌아오는가?

응집과 돌아옴은 허공을 맴도는 삭풍처럼 홀연히 도달하고, 발산과 나감은
한겨울 눈구름처럼 가볍게 서쪽으로 달려간다.

응집이 언제나 가능한 일은 아니지만, 발산이 어찌 소멸로만 끝나리오?

物情變化 來往無端 則自五行四時而太極 而歸於無極也。
물정변화 래왕무단 즉자오행사시이태극 이귀어무극야

萬古一時 寒暄一息 有此刻之燭光日影 霜花筆妙 則爲《宗旨》之現前 爲宗風
만고일시 한훤일식 유차각지촉광일영 상화필묘 즉위 종지 지현전 위종풍

之大暢 爲作序之大成。 舍此而言五行四時太極無極 恐未免失之千里矣。
지 대 창 위 작 서 지 대 성　　사 차 이 언 오 행 사 시 태 극 무 극　공 미 면 실 지 천 리 의

사물에 대한 정서가 바뀌고 왕래往來에 끝이 없으면 오행五行과 사시四時는
태극에서 무극으로 돌아간다.

만고 세월이 한 시절이며 삶과 죽음이 한 호흡이니 여기 촉광燭光과 일영日
影을 화지花紙에 오묘한 필치로 아로새겨, 종지가 되어 눈앞에 나타나고 종
풍宗風을 이뤄 번창하며 서문을 지어 대성하리라. 이를 버리고 오행과 사시,
태극과 무극을 논한다면 천리만큼 벌어지는 실수를 면하지 못하리라.

1 덕德: 능력 덕. 여기서 덕德은 '능력', '작용'의 뜻이다.

2 법려法侶: 법 법, 짝 려. 법려는 법을 함께 닦는 벗을 말한다. 여기서는 자기 내면에 있는 수행의 짝을 의미한다. 수행은 자기 안의 길을 가는 것이기 때문에 내면의 감응이 무엇보다 중요하다.

3 공안公案: 공안은 관공서의 공문서를 뜻하는 말로, 도를 얻기 위해 해결해야 하는 과제를 의미한다. 고요에 들어 화두에 집중하고 정신의 과제를 하나씩 해결하는 것이다.

4 응집과 발산: 기취기산其聚其散. 취聚는 정신을 모으고 기운이 응결하는 응집이고 산散은 정신이 흐려지고 기운이 흩어지는 발산이다. 사람의 정신은 매일매일 흩어지고 있으나 그것을 인식하지 못하다가 정신이 흐려지고 총기가 사라지면 그때부터는 세월이 화살처럼 빠르다고 인식한다. 정신이 존재하는 시간이 그만큼 짧아지는 것이다.

※ 장춘長春은 구처기丘處機(1148~1227)의 도호道號이다. 왕중양의 제자로 전진칠자全眞七子의 대표적 인물이며 전진교 5대 장문이고, 용문龍門산에서 7년간 수행하여 전진교 안에서 구처기의 제자들을 용문龍門이라고 부른다. 백발에 동안이었던 그는 청춘을 오랫동안 유지하고 있어 장춘자長春子, 장춘진인長春眞人으로 불리었다. 칭기즈칸이 그를 초대하여 오래 사는 법에 대해 묻자, '생을 지키는 방법은 있지만 수명을 늘리는 약은 없으니有衛生之道而無養生之藥 마음을 맑게 욕심을 적게淸心寡欲'하라고 하였다.

譚長眞眞人序
담 장 진 진 인 서

聖眞無日不在世度人[1] 究竟何曾度得一人? 亦世人能自度耳。
성 진 무 일 부 재 세 도 인   구 경 하 증 도 득 일 인   역 세 인 능 자 도 이

若世人與聖眞性量 有增減分毫 便是度不去。
약 세 인 여 성 진 성 량   유 증 감 분 호   변 시 도 불 거

성인의 진리가 세상의 공부하는 사람들에게 항상 존재하였지만, 끝내 언제
한 사람이라도 깨운 적이 있는가? 역시 세상 사람은 스스로 깨달을 뿐이다.
만약 세상 사람과 성인의 진리가 본성의 역량에서 아주 작은 차이라도 있다
면 스스로 깨달을 수 없는 것이다.

聖祖初發願度生 已度盡百千萬億劫 無量衆生。
성 조 초 발 원 도 생   이 도 진 백 천 만 억 겁   무 량 중 생

度此七人 非七人也 卽七如來 毘盧遮那無量法身也。
도 차 칠 인   비 칠 인 야   즉 칠 여 래   비 로 자 나 무 량 법 신 야

큰 스승이 처음으로 발원하여 도가 생겼으나 도는 이미 백천만억겁이 다하
도록 무량중생하였다.
도에서 칠 인은 일곱의 사람이 아니라 일곱의 여래如來이니 비로자나[2]의 무
한한 법신法身[3]이다.

諸子不離凡夫地 何以卽與古佛同尊?
제 자 불 리 범 부 지   하 이 즉 여 고 불 동 존

子輩原無信不及 所以聖祖當下卽度得去 若有一毫信不及 千生難免輪迴也。
자 배 원 무 신 불 급   소 이 성 조 당 하 즉 도 득 거   약 유 일 호 신 불 급   천 생 난 면 윤 회 야

그대들이 보통 사람의 자리를 떠나지 않고도 어떻게 과거의 부처들과 같은 경지에 오를 수 있는지 아는가?

그대들에게 믿음으로 해결하지 못하는 부분은 원래부터 없었으니 그래서 큰 스승들은 수행을 시작하자 바로 깨달을 수 있었고, 만약 믿음으로 해결할 수 없는 부분이 하나라도 있다면 천 번을 살아도 윤회[4]를 면하기 어려울 것이다.

自古聖賢千言萬語 無非要人識得此性光通天徹地 古今聖凡 一齊透過 無少等
자 고 성 현 천 언 만 어   무 비 요 인 식 득 차 성 광 통 천 철 지   고 금 성 범   일 제 투 과   무 소 등

待 無不完成。所謂"盡性"者盡此 "至命"者至此 "採藥"者採此 "修證"者修證此
대   무 불 완 성   소 위 진 성 자 진 차   지 명 자 지 차   채 약 자 채 차   수 증 자 수 증 차

而已。此《宗旨》所以爲萬法歸宗至尊法旨。
이 이   차 종 지   소 이 위 만 법 귀 종 지 존 법 지

자고로 성현들의 수없이 많은 말은 성광性光을 깨닫게 하는 것이니 사람이 성광性光을 깨달으면 하늘과 통하고 땅을 이해하며, 예나 지금이나 성인이나 범인이나 조금의 기다림 없이 모두 완성된다. 이른바 진성盡性이란 이것을 다하는 것이고, 지명至命이란 이것이 지극한 것이며, 채약採藥은 이를 채취하는 것이고, 수증修證은 이를 닦고 증거하는 것일 뿐이다. 금화종지가 그래서 만법이 귀결하는 지존한 가르침인 것이다.

任爾爲仙佛 爲人天 爲山河 爲六道 爲鬼怪 爲昆蟲草木 無不承受法旨 歸命
임 이 위 선 불   위 인 천   위 산 하   위 육 도   위 귀 괴   위 곤 충 초 목   무 불 승 수 법 지   귀 명

大宗。
대 종

苟有萬分信得及者　不離當下　卽與度去　有一毫信不及　饒他千生萬劫　永墮迷
구유만분신득급자　불리당하　즉여도거　유일호신불급　요타천생만겁　영타미
途。
도

그대 마음이 선불仙佛이 되고 인천人天이 되고 산하山河가 되고 육도六道가 되
고 귀괴鬼怪가 되고 곤충초목이 되어도 모두 가르침을 수용 계승하면 대종大
宗으로 귀결한다.
만약 자기에 대한 믿음이 가득하다면 바로 이 자리에서 도가 함께 할 것이
며, 자신에 대한 믿음에 하나라도 부족함이 있다면 천 번을 더 살아도 끝없
는 미로를 헤맬 것이다.

向立嚴誓　七人外不得妄傳。
향립엄서　칠인외부득망전
豈聖祖普度之公心　只慮世人障蔽甚深　罪業煩重　不能開發信心　而反生疑謗
기성조보도지공심　지려세인장폐심심　죄업번중　불능개발신심　이반생의방
是益其罪也。
시익기죄야

엄격한 맹세를 앞세워 칠 인 외에는 함부로 전할 수 없게 하였다.
이는 세상을 깨우려는 스승들의 공심公心[5]에도 세상 사람들이 깊고 심하게
가로막혀 있어 업業의 무게가 심히 무거우며, 또 자기에 대한 믿음을 열지
못하고 생을 되돌리는 것을 의심하고 비방하여 그 무게를 더할까 걱정하는
것이다.

究竟聖祖度世之宏願　與學人謹凜之畏心　原無二無別。
구경성조도세지굉원　여학인근름지외심　원무이무별
知此不獨仰體祖訓　先聖後聖　殊途而一致矣。
지차부독앙체조훈　선성후성　수도이일치의

결국 세상을 깨우려는 스승들의 큰 뜻은 구도자들도 삼가 어려워해야 할 마음이니 본래 둘도 없고 나눌 수도 없는 마음이다.

이를 알아야 스승들의 가르침을 우러를 수 있을 뿐만 아니라 앞서 간 성인과 뒤 따르는 성인의 길이 다르지 않고 일치할 수 있다.

1 도인度人: 도를 공부하는 사람. 수행자, 학인學人, 선비.
  도度: 법法, 도道, 깨달음, 깨닫다, 해탈하다 등의 의미.
2 비로자나毘盧遮那: 모든 부처의 진신眞身을 뜻하는 범어 바이로차나(vairocana)의
  음역이다. vairocana는 '광명', '태양'이란 뜻이다.
3 법신法身: 법法이 곧 참이며, 법신이 곧 진신眞身이다.
4 윤회輪廻: 바퀴 륜, 돌아올 회. 한번 굴러간 수레바퀴가 멈추지 않고 돌아가는 것
  처럼, 외물外物에 발이 묶여 미로 같은 삶을 계속 반복하는 것을 윤회라고 한다.
5 공심公心: 공평 무사한 마음. 개인이나 단체가 아니라 생명 전체를 생각하는 마음.

※ 성진聖眞은 '성인의 진리', '성스러운 참'이라는 뜻이며 자연에 존재하는 궁극적
인 진리이며 우리 안에 있는 참이다. 진眞은 참이며 진리이고 또한 실재하는, real
의 의미이다.

법신法身은 법의 몸이지만, 여기서 몸은 육체라는 뜻이 아니라 법 자체自體라는 뜻
이다. 석가세존이 열반에 들지 석가의 제자들은 부처의 영원불멸을 추도하였으나,
후에 석가가 깨달은 불변의 진리가 부처의 법신法身임을 깨닫게 된다.

※ 담처단譚處端(1123~1185). 전진칠자全眞七子의 셋째이며 전진교 3대 장문이다. 담
처단의 제자들을 남무파南無派라고 부른다. 도호는 장진자長眞子이다.

王天君序
왕천군서

矣

王天君云善承受法旨護持道教千百年於此矣不惟派下賢
嗣潛修默證呼吸感通即愚夫愚婦有能發一念向道眞切者
無不敬禮而左右維持之此固發顯之初心如是亦一體感召
虛空上下自無隔礙本來如是列祖諸眞法身徧滿大千心心
相印法法歸宗往古來今超凡入聖者不離本根當下一
齊正覺何果何因何修何證善也披誠宣力追隨恐後亦如風
還畫露隨時應化於獨載之中栽培傾覆一任萬類之各正性
命而已而造物者無心也自七賢之敬受宗旨斯地遂爲選佛

道場十方三世一時會集百靈阿護日月開明有情無情盡成
法侶上天下地悉奧證盟道祖設教以來眞未有若此廣大悉
備易簡直截如此受命鑒證盟誓善敬
辭曰無庸有此證也以七人得遇聖眞傳示無上妙道即備夫
鬢媼牧竪童聰非聽法之上器甚至魔神蛟黨龍蛇異類亦
無不在此證盟之丙七人何藉于余又何必爲七人證呂祖
再三申命曰天不愛道傳示七人將由此七人化度無量有菲
謗法門詆毀賢聖惟爾護法阿護而默相之法于有不敬愼凜
遵戒律或輕授匪人爾嚴加譴罰善同七人跪而受命
嗚呼列祖普度慈悲原無分上下其奈世人積業如山無自仰

善承受法旨 護持道教千百年於此矣。 不惟派下賢嗣 潛修默證 呼吸感通 即
선 승 수 법 지　호 지 도 교 천 백 년 어 차 의　　불 유 파 하 현 사　잠 수 묵 증　호 흡 감 통　즉

愚夫愚婦 有能發一念向道眞切者 無不敬禮而左右維持之。
우 부 우 부　유 능 발 일 념 향 도 진 절 자　무 불 경 례 이 좌 우 유 지 지

此固發願之初心如是 亦一體感召 虛空上下 自無隔礙 本來如是。
차 고 발 원 지 초 심 여 시　역 일 체 감 소　허 공 상 하　자 무 격 애　본 래 여 시

가르침을 잘 계승하고 도문道門을 보호 유지하기를 천백년. 도맥道脈을 이어
가며 묵묵히 수행을 증거하고, 호흡으로 감응 소통하며, 평범한 사람들이
도를 향한 간절한 일념을 낼 수 있도록 지극한 예禮로 곁을 지켜왔다.
발원하는 초심初心이 이처럼 굳건하고 또 정신과 육체가 하나로 감응하며
허공虛空을 오르내리고 간격과 장애가 저절로 없어지니 본래 모습이 이와
같다.

列祖諸眞 法身徧滿大千 心心相印 法法歸宗。
열 조 제 진　법 신 편 만 대 천　심 심 상 인　법 법 귀 종

往古來今 超凡入聖者 不離自本自根 當下一齊正覺 何果何因? 何修何證?
왕 고 래 금　초 범 입 성 자　불 리 자 본 자 근　당 하 일 제 정 각　하 과 하 인　　하 수 하 증

조사祖師[1]와 진인眞人[2]은 법신으로 세계에 가득하고 마음과 마음은 서로 이어
지며 법과 법은 대종大宗을 따른다.
예부터 지금까지 범인을 초월하여 성인이 된 자는 자기의 본질과 자기의 뿌
리를 벗어나지 않았기에 수행을 시작하자마자 바로 정각正覺하였으니, 무엇
이 원인이며 무엇이 결과인가? 무엇이 수행이고 무엇이 증거인가?

善也披誠宣力 追隨恐後 亦如風霆雷露 隨時應化於覆載之中。
선 야 피 성 선 력　추 수 공 후　역 여 풍 정 뢰 로　수 시 응 화 어 복 재 지 중

栽培傾覆 一任萬類之各正性命而已 而造物者無心也。
재 배 경 복　일 임 만 류 지 각 정 성 명 이 이　이 조 물 자 무 심 야

선한 일에 진심으로 정성을 다하고 서로를 따르며 뒤쳐질까 염려하고, 세상 속에서 바람과 천둥, 우레와 이슬처럼 때와 장소를 따라 변화하고 적응한다. 심으면 자라고 기울면 엎어지니[3] 모든 종種에게 각자의 성性과 명命을 바로 하도록[4] 맡겼을 뿐이라, 조물주는 무심無心이다.

自七賢之敬受《宗旨》斯地遂爲選佛道場 十方三世 一時會集 百靈呵護 日月
자 칠 현 지 경 수 종 지 사 지 수 위 선 불 도 량 시 방 삼 세 일 시 회 집 백 령 가 호 일 월
開明 有情無情 盡成法侶 上天下地 悉與證盟。
개 명 유 정 무 정 진 성 법 려 상 천 하 지 실 여 증 맹

일곱의 현인賢人이 공경의 예로 종지를 수용하여 마침내 이 땅이 부처를 뽑는 도량이 되고, 시방삼세가 한자리에 모이며 모든 영의 보호 속에서 일월日月을 개명開明하고, 유정有情과 무정無情[5]이 모두 법려法侶를 이루니 하늘과 땅이 이 모두를 증거하고 약속하였다.

道祖設敎以來 眞未有若此廣大悉備 易簡直截 如《宗旨》之盡洩玄機者。
도 조 설 교 이 래 진 미 유 약 차 광 대 실 비 이 간 직 절 여 종 지 지 진 설 현 기 자
是日受命鑒證盟誓。
시 일 수 명 감 증 맹 서

노자가 가르침을 설파하신 이래로 이 종지처럼 넓고 크며 완벽하게 그리고 쉽고 명료하게 현기玄機를 전부 누설한 것은 아직까지 없었다.
이날 명을 받들어 자세히 살피고 증명하였음을 맹세한다.

善敬辭曰 "無庸有此證也。 以七人得遇聖眞 傳示無上妙道。 卽傭夫爨媼 牧豎
선 경 사 왈 무 용 유 차 증 야 이 칠 인 득 우 성 진 전 시 무 상 묘 도 즉 용 부 찬 온 목 수
樵童 疇非聽法之上器 甚至魔神蛟黨 龍蛇異類 亦無不在此證盟之內。七人何
초 동 주 비 청 법 지 상 기 심 지 마 신 교 당 용 사 이 류 역 무 부 재 차 증 맹 지 내 칠 인 하
藉于余？ 余又何必爲七人證？"
자 우 여 여 우 하 필 위 칠 인 증

선경사는 말하기를 "다른 증거는 필요 없다. 칠 인이 참을 만날 수 있었다는 것이 최고의 대도임을 직접 보여주는 것이다. 머슴과 찬모도, 가축 기르고 땔나무 줍는 배울 기회가 없었던 누구라도 심지어 마신魔神과 이무기와 용과 뱀 같은 다른 종까지도 모두 이러한 증명의 범주에 속한다. 칠 인은 나에게 무엇을 기대하는가? 나까지 칠 인을 증거할 필요가 있는가?"

呂祖再三申命曰 "天不愛道 傳示七人 將由此七人 化度無量。有誹謗法門 詆
여조재삼신명왈   천하애도 전시칠인 장유차칠인 화도무량   유비방법문 저
毀賢聖 惟爾護法 呵譴而默相之。法子有不敬愼凜遵戒律 或輕授匪人 爾護
훼성현 유이호법 가견이묵상지   법자유불경신름준계율 혹경수비인 이호
法 亦嚴加譴罰"
법 역엄가견벌

여동빈 조사 재삼 당부하며 말하기를[6], "하늘이 도를 아끼지 않고 칠 인에게 직접 전하였으니 장차 이 칠 인으로 인하여 도법道法이 무한하다. 혹 가르침을 비방하거나 성현을 헐뜯거든 그대들은 다만 법을 수호하여 잘못을 지적하고 묵묵히 도우라. 법을 이어받은 제자[7]가 지켜야 할 계율을 공경하지 않거나 바르지 않은 사람에게 가볍게 전하거든 그대들이 법을 수호하고 엄히 훈계하라."

善同七人跪而受命。嗚呼 列祖普度慈悲 原無分上下。
선동칠인궤이수명   오호 열조보도자비 원무분상하

칠 인은 바르게 장궤長跪[8]하고 함께 명을 받았다. 오호라, 세상을 깨우려는 스승들의 자비심은 원래 상하 귀천의 구분이 없구나.

其奈世人積業如山 無自仰承法雨 七人果能體此化度慈心 隨地隨時多方接引
기내세인적업여산 무자앙승법우 칠인과능체차화도자심 수지수시다방접인
無負自度度人之宏願 則盡法界衆生 皆投誠歸命。亦何待雷露風霆? 惟是廣生
무부자도도인지굉원 즉진법계중생 개투성귀명   역하대뢰로풍정   유시광생

大生以各正性命于兩間可耳。
대 생 이 각 정 성 명 우 양 간 가 이

세상 사람의 쌓인 업이 산과 같아 스스로 법을 받아들이지 못하지만, 칠 인이 도법道法의 자비심을 체득하면 언제 어디서나 다양한 방법으로 만날 수있고, 또한 자기를 깨닫고 타인을 깨우는 자도도인自度度人의 큰 뜻을 저버리지 않는다면 법계의 모든 중생은 정성을 다해 귀의한다. 어찌 우레와 이슬, 바람과 천둥을 기다리는가? 오로지 세상 속에서 각자의 성性과 명命을바로 하는 것이 넓게 살리고 크게 살리는 길이다.

1 조사祖師: 한 종파를 세워 종지를 펼치거나 그에 버금가는 업적을 이룬 사람.

2 진인眞人: 참된 사람. 도교에서 추구하는 진정한 인간상으로 참을 깨달은 사람이다.

3 재배경복栽培傾覆: ①심고 자라고 기울고 엎어지는 인생의 생로병사, 인생의 모든 굴곡을 의미한다. ②중용中庸에 있는 재자배지栽者培之 경자복지傾者覆之를 줄인 말. 심은 자는 자라고 기울어진 자는 엎어진다는 뜻이며, 하늘은 내 행동의 결과를 줄 뿐 자기를 결정하는 건 자기라는 의미를 갖고 있다.

4 각정성명各正性命: 각자 자기의 성性과 명命을 바르게 한다는 뜻이며, 자기의 성과 명을 결정하는 것은 자기라는 의미이다.

5 유정有情 무정無情: 감정이 있는 것은 유정有情, 없는 것은 무정無情이라 하여 마음이 있는 중생을 유정, 마음이 없는 사물을 무정이라 구분한다.

6 여동빈 조사 말하기를呂祖曰: 여조왈呂祖曰은 여동빈이 말한다는 뜻이지만, 여동빈이 친히 말한다는 뜻이 아니라 여동빈의 이름을 빌어 말한다는 뜻이다. 이런 식의 표현은 글의 연원을 밝히거나 글의 권위를 높이기 위해 동서양의 고전에서 자주 사용하는 방식이다.

7 법자法子: ①스승의 도법을 전수받은 제자. ②정법正法을 수행하는 수행자.

8 장궤長跪: 두 무릎은 바닥에 대고 몸을 세운 채 꿇어앉는 자세.

※ 왕천군王天君은 도교를 지키는 호법護法이다. 도교를 지키는 왕천군의 뜻을 이어 작성한 서문이다.

金華宗旨 自序
금화종지 자서

金華宗旨自序　集

易大傳曰神無方也無體也言神無方體則名言之而難盡矣
往來不窮利用出入日用之而不知與天地合其德與日月合
其明與鬼神同其變化至矣盛哉盛德大業言之不可終窮擬議
之而無可形似靈文祕笈俱歸摩厨子之定是宗旨不落名言
無從擬議其所以斡旋天地轉運陰陽者在握其寸機而已得
其機則妙用在我而乾坤皆範圍之而不過矣機者何一而已
一不可名歸之太虛而浩浩落落一片神行其間變化無端妙
用不測吾何以名之曰太乙噫至矣盡矣宇葊屑子輩編輯宗
旨成書各授弟子爲之關發大意而著之簡端是爲序

金華宗旨

崔集[二]

《易大傳》曰 "神無方也 無體也" 言神無方體 則名言之而難盡矣。
역 대 전 왈　신 무 방 야　무 체 야　언 신 무 방 체　즉 명 언 지 이 난 진 의

往來不窮 利用出入 日用之而不知 與天地合其德 與日月合其明 與鬼神同其
왕 래 불 궁　이 용 출 입　일 용 지 이 부 지　여 천 지 합 기 덕　여 일 월 합 기 명　여 귀 신 동 기

變化 至矣哉。盛德大業 言之不可終窮 擬議之而無可形似。
변 화　지 의 재　성 덕 대 업　언 지 불 가 종 궁　의 의 지 이 무 가 형 사

역대전에 "神無方也(정신은 정해진 것이 없고) 無體也(몸체가 없다)"라 하여 정신에 는 정해진 틀이 없다고 말하니, 곧 인간의 언어로 정신을 형용하기 어렵다. 정신의 왕래往來가 부족하지 않아 이용하고 출입하며 매일 사용하면서도 알 지 못하나, 그 작용은 천지天地와 같고 그 지능은 일월日月과 같으며 그 변 화는 귀신과 같아 지극하고 위대하다. 왕성한 능력과 큰 업적은 말로 표현 하려 하면 그 끝을 낼 수 없고, 비교하여 설명하려 하여도 그 비슷한 것이 없다.

靈文祕笈 俱歸塵腐 予之定是宗旨 不落名言 無從擬議。其所以幹旋天地 轉
영 문 비 급　구 귀 진 부　여 지 정 시 종 지　불 락 명 언　무 종 의 의　기 소 이 알 선 천 지　전

運陰陽者 在握其寸機而已。得其機 則妙用在我 而乾坤皆範圍之而不過矣。
운 음 양 자　재 악 기 촌 기 이 이　득 기 기　즉 묘 용 재 아　이 건 곤 개 범 위 지 이 불 과 의

아무리 신령한 내용의 책자라도 세월이 지나면 먼지로 흩어지나 내가 바로 잡은 이 종지宗旨는 땅에 떨어지지 않을 명언이니 비교하거나 평가할 수 없 다. 천지를 알선하고 음양을 운전하는 것이 이 작은 기전을 파악하는 것에 있기 때문이다. 이 기전을 터득하면 오묘한 작용이 나에게 있고 건곤乾坤이 모두 이 범주 안에 있게 된다.

機者何? 一而已。
기 자 하　일 이 이

一不可名 歸之太虛 而浩浩落落 一片神行 其間變化無端 妙用不測。
일불가명 귀지태허 이호호낙락 일편신행 기간변화무단 묘용불측

吾何以名之? 曰"太乙" 噫 至矣 盡矣。
오하이명지 왈태을 희 지의 진의

기전이 무엇인가? 하나일 뿐이다.

하나는 문자로 설명할 수 없고 태허太虛로 돌아가는 것이며, 넓고 크고 드높은 하나의 조각으로 정신을 운행하니 그 사이의 변화는 무한하고 오묘한 작용은 헤아릴 수 없다.

내가 무엇으로 이름하겠는가? '태을太乙'이라 부르니, 아! 지극하고 완벽하다.

宇菴屠子輩編輯《宗旨》成書 各授弟子爲之闡發大意 而著之簡端 是爲序。
우암도자배편집 종지 성서 각수제자위지천발대의 이저지간단 시위서

도우암屠宇菴과 그의 제자들이 종지宗旨를 편집하여 책으로 완성하고, 각 문인門人들에게 전하며 대의大意를 밝히고 이를 간단 명료하게 기록하여 서문을 삼는다.

※ 강희7년 무신년(1668년)에 우암字菴과 그의 제자들이 수행의 비결을 정리하고 편집하여 '태을금화종지'라는 이름으로 발행하였다고 한다. 그들의 정성과 노고에 절로 고개가 숙여진다. 자서自序는 저자가 직접 작성한 서문이라는 뜻이다.

太乙金華宗旨

태 을 금 화 종 지

金華宗旨 目錄

天心 第一

천 심 제 1

自然曰道 道無名相 一性而已 一元神而已。性命不可見 寄之天光 天光不可
자연왈도 도무명상 일성이이 일원신이이 성명불가견 기지천광 천광불가

見 寄之兩目。
견 기지양목

자연[1]을 도道라 부르니, 도道는 인어로 형상할 수 없는 하나의 본성[2]일 뿐이
며 하나의 원정신[3]일 뿐이다. 성명性命은 볼 수 없어 천광天光[4]에 의지하고
천광도 볼 수 없어 두 눈에 의지한다.

古來仙眞 皆口口相傳 傳一得一。自太上化現 東華遞傳巖以及南北兩宗 全眞
고래선진 개구구상전 전일득일 자태상화현 동화체전암이급남북양종 전진

可爲極盛。盛者盛其徒衆 衰者衰於心傳 以至今日 泛濫極矣 凌替極矣。
가위극성 성자성기도중 쇠자쇠어심전 이지금일 범람극의 능체극의

예로부터 선도仙道의 진체眞體는 모두 입에서 입으로 대를 이어 전수하며, 하
나[5]를 전하고 하나를 터득하였다. 태상太上[6]으로부터 세상에 나와 동화東華를
거쳐 여동빈과 남북양종南北兩宗[7]에 이르기까지 진리가 온전하며 지극히 왕
성하였다. 왕성하다는 것은 따르는 이들이 많은 것이며 쇠퇴는 마음으로 전
하는 심전心傳이 희미해진 것이니, 오늘날에는 범람도 극에 이르고 쇠퇴도
극에 이르렀다.

極則返　故昔日有許祖　垂慈普度　特立教外別傳之旨　聞者千劫難逢　受者一時
극즉반　고석일유허조　수자보도　특립교외별전지지　문자천겁난봉　수자일시

法會。皆當仰體許祖心　先於人倫日用間　立定脚跟　方可修眞悟性。
법회　개당앙체허조심　선어인륜일용간　입정각근　방가수진오성

극즉반이라, 옛적에 허정양 조사에게 세상을 깨우려는 자비심이 있어 외부로 공개하지 않고 은밀히 전수하던 가르침을 바로 세웠으니, 이를 듣는 자는 천겁만에 어렵게 만나는 것이며 이를 받아들이는 자는 일시에 진리를 깨우치는 것이라. 모두 조사의 마음을 우러르며 또 인륜과 일상에서 먼저 수행의 토대를 정립하여야 비로소 진정한 오성悟性[8]을 수련할 수 있다.

我奉勅爲度師　今以《太乙金華宗旨》發明　然後細爲開說。
아봉칙위도사　금이　태을금화종지　발명　연후세위개설

내가 칙령을 받들어 도사度師가 되었으니 이제 '태을금화종지太乙金華宗旨'의 뜻을 밝히고 그 후에 세세한 설명을 이어 가겠다.

太乙者　無上之謂。
태을자　무상지위

丹訣甚多　總假有爲而臻無爲　非一超直入之旨。我傳宗旨　直提性功　不落第二
단결심다　총가유위이진무위　비일초직입지지　아전종지　직제성공　불락제이

法門　所以爲妙。
법문　소이위묘

'태을太乙'이란 더 올라갈 수 없는 최고를 말한다.

단丹[9]의 비결이 매우 많지만 대부분이 유위有爲를 빌어 무위無爲에 이르는 것이라 한 번에 본질로 들어가는 가르침이 아니다. 내가 전하는 이 종지宗旨는 본성 공부로 곧바로 들어가는 최고의 가르침이기에 실로 오묘하다.

金華卽光也 光是何色? 取象於金華 亦祕一光字在內 是天仙太乙之眞氣。水
금 화 즉 광 야 광 시 하 색   취 상 어 금 화 역 비 일 광 자 재 내 시 천 선 태 을 지 진 기   수

鄉鉛只一味者此也。
향 연 지 일 미 자 차 야

'금화金華'가 바로 광光이니, 광光이 무슨 색인가? 깨달음의 금빛에서 의미를
취하였으며 또한 일광一光[10]의 의미 속에는 천선天仙 태을太乙의 진정한 기운
이 담겨 있다. 수향연水鄉鉛이 일미一味[11]라 하는 말도 이 뜻이다.

回光之功 全用逆法 方寸中具有欝羅蕭臺之勝 玉京丹闕之奇 乃至虛至靈之
회 광 지 공 전 용 역 법 방 촌 중 구 유 울 라 소 대 지 승 옥 경 단 궐 지 기   내 지 허 지 령 지

神所注。 儒曰虛中 釋曰靈臺 道曰祖土 曰黃庭 曰玄關 曰先天竅。
신 소 주   유 왈 허 중 석 왈 영 대 도 왈 조 토 왈 황 정 왈 현 관 왈 선 천 규

회광回光[12]의 공부는 역행하는 공법[13]만 사용한다. 방촌方寸[14] 속에는 대리 친
존의 훌륭함과 옥경 궁궐의 빼어남이 모두 들어 있어 지허至虛 지령至靈한
정신[15]이 모이는 곳이다. 이곳을 유가에서는 허중虛中, 불가에서는 영대靈臺,
도가에서는 조토祖土, 황정黃庭, 현관玄關[16], 선천규先天竅[17]라 하였다.

蓋天心猶宅舍一般 光乃主人翁也。 故一回光 則周身之氣皆上朝 諸子只去回
개 천 심 유 택 사 일 반 광 내 주 인 옹 야   고 일 회 광 즉 주 신 지 기 개 상 조 제 자 지 거 회

光 便是無上妙諦。
광 변 시 무 상 묘 체

대체로 천심天心[18]은 보통의 집과 같고, 광光이 바로 그 집의 주인이다. 그러
므로 하나로 광을 돌리면 온몸을 도는 기운들이 모두 주인을 뵈러 올라오니,
그대들은 단지 광光을 되돌리기만 하면 되는 것이다. 이것이 바로 최고의
비결이다.

光易動而難定　回之旣久。此光凝結　卽是自然法身　而凝神於九霄之上矣。
광이동이난정　회지기구　차광응결　즉시자연법신　이응신어구소지상의

《心印經》所謂 "默朝 飛昇"者　此也。
심인경 소위　묵조 비승 자 차야

그러나 광光은 쉽게 동動하고 고정하기 어려우니 오래도록 되돌려야 한다.
이렇게 광이 응결하면 이것이 바로 자연의 법신이며, 최고의 하늘에 정신이
머무르는 것이다.
심인경에서 말하는 묵조默朝 비승飛昇[19]이 바로 이 뜻이다.

金華卽金丹　神明[20]變化　各師於心。
금화즉금단　신명　변화　각사어심

금화金華가 바로 금단金丹이며, 정신의 변화는 각자의 마음에 본보기가 된다.

1 자연自然: 自는 '본래, 스스로, 저절로'의 뜻이고, 然은 '모습, 상태'의 뜻이다. 그래서 자연은 '본래 그대로의 모습'이고, '스스로 존재하고 저절로 이루어지는 것'이다.

2 본성: 성性. 본래부터 존재하는 천성이며, 본성이다. 유교에서는 본성本性이라 하고, 불교에서는 불성佛性이라 한다.

3 원정신: 원신元神. 본래 존재하는 정신을 원정신, 원신元神이라 한다. 원元은 으뜸, 처음, 시초의 의미이며, 명사 앞에 쓰일 때는 '본디, 처음'의 의미를 갖는다.

4 천광天光: 천天이 접두사로 쓰일 때는 '하늘로부터 부여받은', '타고난', '본연의'의 뜻이니 천광은 '타고난 본래의 광', 성광性光을 의미한다고 볼 수 있다.

5 하나, 일一: 여기서는 음양이기陰陽二氣로 분화分化하기 이전의 '하나'를 의미한다.

6 태상太上: 태상노군太上老君의 줄임말. 태상노군은 노자를 높여 부르는 말이다.

7 남북양종南北兩宗: 동화제군, 종리권, 여동빈으로 이어지는 단丹의 계보에서 장백단(987~1082)을 남종南宗, 왕중양(1113~1170)을 북종北宗이라 한다. 장백단의 남종은 선명후성先命後性의 수련을, 왕중양의 북종은 선성후명先性後命의 수련을 주장하였다. 왕중양은 처음부터 조직을 만들어 금련정종을 개창하였고, 장백단은 단체를 만들지 않고 개인 수행으로 도맥을 이어가며 수행을 증명하였다. 장백단의 계보는 후대에 전진도全眞道로 통합되었으며, 금화종지는 성명쌍수性命雙修하는 장백단의 계보를 잇고 있다.

8 오성悟性: 생각하는 능력. 감성 및 이성과는 구별되는 지력智力.

9 단丹: 도가의 연단 수련을 통칭하여 단丹이라고 한다. 자연의 기를 수련하여 몸 안에 단을 만드는 것은 내단內丹이라 하고, 자연의 약물을 이용하여 불로장생의 약을 만드는 것은 외약外藥, 외단外丹이라 한다.

10 일광一光: 하나의 광光. 분화하기 이전의 광光.

11 수향연水鄕鉛이 일미一味: 입약경入藥鏡에 나오는 단어. 입약경에서 是性命 非神氣 水鄕鉛 只一味라 하였다. 주역참동계에서 鉛外黑 內懷金華이라 하여, 연鉛은 겉은 흑黑이나 안으로 금화金華를 품고 있다고 하였다. 그래서 연鉛이 수중금水中金이고, 물속에 있는 금金은 감중진일坎中眞一을 의미한다.

12 회광回光: 돌아올 회, 빛 광. 회回에는 멈춘다는 의미와 시작한 곳으로 돌아간다는 의미가 있고, 광光에는 '빛, 광명'과 '비추다'의 의미가 있다. 마음의 역동이 광光이며 진행하는 마음을 멈추는 것이 회광이고, 또한 정신의 뿌리가 광이며 정신의 뿌리로 돌아가는 것이 회광이다.

13 역법逆法: 회광은 마음을 되돌리는, 본래의 자리로 돌아가는 역행하는 공법이다.

14 방촌方寸: 사방四方 일촌一寸의 줄임말. 작은 공간이란 뜻으로 정신 작용이 일어나는 공간이며 수행이 이루어지는 공간이다. 정신 작용과 수행 작용이 이루어지는 추상적인 공간이며, 두중頭中, 방촌方寸, 중황中黃이 같은 개념이다.

15 정신神: 이 책에서 신神은 귀신이나 신령이 아니라 '정신精神'이다. 도가에서는 정신을 영靈이 혼魂과 백魄으로 분화한 것으로 설명한다. 영은 인간의 몸에서 혼과 백으로 나뉘는데, 혼은 사고하는 정신이 되고 백은 다양한 감정(七情)이 된다.

16 현관玄關: 깊을 현, 관문 관. 깊고 묘한 이치로 드는 관문이라는 뜻이다. 본성으로 드는 길목을 의미한다.

17 선천규先天竅: 선천先天으로 가는 구멍, 통로.

18 천심天心: ①천天을 접두사로 보면 천심天心은 하늘이 부여한, 타고난 본래의 마음이라는 뜻이다. ②천天을 천지天地의 줄임말로, 심心을 중심中心으로 볼 수 있다. 곧 천지의 중심, 천지지심天地之心이 줄어서 천지심天之心, 천심天心이 된 것이다.

19 묵조默朝 비승飛昇: 심인경에 나오는 단어이다.
[心印經] 廻風混合 百日功靈 黙朝上帝 一紀飛昇 知者易悟 昧者難行
[심인경] 바람을 되돌리고 혼합함은 백일의 공령功靈이고 묵묵히 하늘에 올라 상제를 배알함은 일기一紀의 비승飛昇이니, 현명한 자는 쉽게 깨닫고 혼몽한 자는 수행하기 어렵다.

20 신명神明: 정신 신, 눈 밝을 명. 여기서 신명神明은 천지신명이 아니라 정신의 총명, 정신의 상태이다. '천지신명'이란 단어는 원래 천지자연이 조화하는 이치를 의인화하여 부르는 말이다.

元神 識神 第二
원신 식신 제2

所謂默朝飛昇者此也

金華卽金丹神明變化各師於心

元神識神第二

呂帝曰天地視人如蜉蝣大道視天地亦泡影惟元神眞性則
超元會而上之其精氣則隨天地而敗壞矣然有元神在卽無
極也生天生地皆由此矣學人但能護元神則超生在陰陽外
不在三界中此見性方可所謂本來面目是也最妙者光已凝
結爲法身漸漸靈通欲動矣此千古不傳之秘也
識心如强藩悍將遙執紀綱久之太阿倒置欲今凝守元宮回
光返照如英主在上大臣輔弼內政旣肅自然强悍悃伏矣

金華宗旨

丹道以精水神火意土三者爲無上之訣精水云何乃先天眞
一之炁神火卽光也意土卽中宮天心也以神火爲用意土爲
體精水爲基凡人以意生身身不止七尺者爲身也蓋身中有
魄焉魄附識而用識依魄而生魄陰也識之體也識不斷則生
生世世魄之變形易質無已也惟有魂神之所藏也魂晝寓于
目夜舍于肝寓目而視舍肝而夢夢者神遊也九天九地刹那
歷遍覺則冥冥焉淵淵焉拘于形也故回光所以
煉魂卽所以保神卽所以制魄卽所以斷識古人出世法煉盡
陰滓以返純乾不過消魄全魂耳回光者卽消陰制魄之訣也無
返乾之功止有回光之訣光卽乾也回之卽返之也只守此法

室集一

天地視人如蜉蝣　大道視天地亦泡影。
천 지 시 인 여 부 유　대 도 시 천 지 역 포 영

惟元神眞性　則超元會而上之　其精氣則隨天地而敗壞矣　然有元神在　卽無極
유 원 신 진 성　즉 초 원 회 이 상 지　기 정 기 즉 수 천 지 이 패 괴 의　연 유 원 신 재　즉 무 극

也　生天生地皆由此矣。
야　생 천 생 지 개 유 차 의

천지가 사람을 보면 하루살이와 같고, 대도大道가 세상을 보면 물거품과 그림자로 덧없구나.

오직 원정신元神만이 진정한 본성이며 원회元會[1]를 초월하여 그 위에 존재한다. 인간의 정기는 하늘과 땅의 변화를 따라 부서지고 사라지는 것이나 원정신이 존재하고 있으면 무극無極[2]이니, 인간에게 하늘이 생기고 땅[3]이 생기는 것은 모두 이로 말미암은 것이다.

學人但能護元神　則超生在陰陽外　不在三界中。　此見性方可　所謂本來面目是
학 인 단 능 호 원 신　즉 초 생 재 음 양 외　부 재 삼 계 중　차 견 성 방 가　소 위 본 래 면 목 시

也。
야

공부하는 사람이 원정신元神을 지킬 수 있다면 생을 초월하여 음양의 밖에 존재하고 삼계三界의 굴레를 벗는다. 다만 이것은 본성을 보아야 가능하니 흔히 말하는 본래 모습, 본래면목이 이것이다.

最妙者　光已凝結爲法身　漸漸靈通欲動矣。　此千古不傳之祕也。
최 묘 자　광 이 응 결 위 법 신　점 점 영 통 욕 동 의　차 천 고 부 전 지 비 야

가장 오묘한 것은 광光이 응결하여 법신을 이루고 점점 영靈[4]과 소통하며 움직이는 것이다. 이는 천고의 세월 동안 비인부전非人不傳하던 비밀이다[5].

凡人投胎時　元神居方寸　而識神則居下心[6※]。　識心　如强藩悍將　遙執紀綱
범 인 투 태 시　원 신 거 방 촌　이 식 신 즉 거 하 심　　식 심　여 강 번 한 장　요 집 기 강

久之太阿倒置[7]矣。
구 지 태 하 도 치 의

모든 사람이 뱃속에 있을 때는 원정신이 방촌方寸에 있고, 식識정신[8]은 아래
의 심장에 거주한다. 식識마음[9]이 변방을 지키는 거친 장수처럼 바깥에서 몸
의 기강을 잡고 흔드니, 오래 지속되면 몸의 주권을 외부에 빼앗기게 된다.

今凝守元宮　回光返照　如英主在上大臣輔弼　內政旣肅　自然强悍慴伏矣。
금 응 수 원 궁　회 광 반 조　여 영 주 재 상 대 신 보 필　내 정 기 숙　자 연 강 한 습 복 의

이제 흩어지는 정신을 모으고 원궁元宮을 지키려면 광光을 멈추고 마음과 눈
을 되돌려야 한다. 마치 영명한 군주가 위에 있으면 문무대신들이 절로 보
필하는 것과 같이 정신의 내정이 엄정하면 아무리 억센 장수라도 자연히 굴
복하는 것이다.

丹道以精水神火意土三者　爲無上之訣。
단 도 이 정 수 신 화 의 토 삼 자　위 무 상 지 결

精水云何？　乃先天眞一之氣　神火卽光也　意土卽中宮天心也。
정 수 운 하　내 선 천 진 일 지 기　신 화 즉 광 야　의 토 즉 중 궁 천 심 야

以神火爲用　意土爲體　精水爲基。
이 신 화 위 용　의 토 위 체　정 수 위 기

단도丹道에서는 정수精水 신화神火 의토意土 세 가지를 최고의 비결로 삼는다.
정수는 무엇인가? 선천의 진일眞一한 기운이며, 신화가 바로 광光이고, 의토
는 중궁中宮의 천심天心이다.
신화神火로 작용을 삼으니, 의토意土는 몸체이고 정수精水는 바탕이다.

凡人以意生身 身不止七尺者爲身也。
범 인 이 의 생 신 신 부 지 칠 척 자 위 신 야

모든 사람이 의意에서 내가 생겼으나 칠 척(2m)에도 미치지 못하는 몸[10]을
나라고 여긴다.

蓋身中有魄焉 魄附識而用 識依魄而生。魄陰也 識之體也。
개 신 중 유 백 언 백 부 식 이 용 식 의 백 이 생   백 음 야 식 지 체 야

識不斷 則生生世世 魄之變形易質無已也。
식 부 단 즉 생 생 세 세 백 지 변 형 역 질 무 이 야

惟有魂 神之所藏也。魂晝寓于目 夜舍于肝。寓目而視 舍肝而夢。夢者神遊
유 유 혼 신 지 소 장 야 혼 주 우 우 목 야 사 우 간 우 목 이 시 사 간 이 몽 몽 자 신 유

也 九天九地 刹那歷遍 覺則冥冥焉 淵淵焉。
야 구 천 구 지 찰 나 력 편 각 즉 명 명 언 연 연 언

대체로 몸 안에 백魄이 있고, 백은 식識[11]에 부합하여 작용하며 식識은 백에
의지하여 생긴다. 백의 특성은 음陰이고 식의 몸체이다.

식識은 끊어지지 않고 수많은 세대를 이어가니 백魄은 모습이 변하고 재질
이 바뀌어도 다함이 없다.

오직 혼魂이 있어 정신을 간직한다. 혼은 낮에는 눈에 머무르고 밤에는 간肝
에서 휴식한다. 눈에 머무르니 볼 수 있고 간에서 휴식하니 꿈을 꾼다. 꿈
은 정신의 유희이며, 아홉 하늘과 아홉 땅을 찰나에 두루 경험하나 깨어나
면 어둠에 가려져 보이지 않고 깊은 물속이다.

拘于形也 卽拘於魄也。
구 우 형 야 즉 구 어 백 야

故回光所以煉魂 卽所以保神 卽所以制魄 卽所以斷識。
고 회 광 소 이 연 혼 즉 소 이 보 신 즉 소 이 제 백 즉 소 이 단 식

외형에 구속된 것이 곧 백魄에 구속된 것이다.

그러므로 광光을 되돌리는 것은 혼魂을 정련하기 위함이며, 정신을 보전하기 위함이고, 백魄을 바로잡기 위함이며, 대대손손 이어가는 식識을 끊기 위함이다.

古人出世法 煉盡陰滓 以返純乾 不過消魄全魂耳。
고인출세법 연진음재 이반순건 불과소백전혼이

回光者 消陰制魄之訣也。
회광자 소음제백지결야

無返乾之功 止有回光之訣。光卽乾也 回之卽返之也。只守此法 自然精水充
무반건지공 지유회광지결 광즉건야 회지즉반지야 지수차법 자연정수충

足 神火發生 意土凝定 而聖胎可結矣。
족 신화발생 의토응정 이성태가결의

옛사람들이 속세를 벗어나고자 수행하던 방법들은 음陰의 찌꺼기가 다 없어지도록 단련하여 순수한 건乾으로 돌아가려는 것이나, 이는 혼魂을 온전히 하고자 백魄을 소진시키는 방법에 불과하다.
회광回光이 음을 제거하고 백을 바로잡는 비결이다.
건乾으로 돌아가는 공부가 따로 있지 않고 오직 회광의 비결이 있을 뿐이다. 광光이 곧 건乾이며 광을 되돌리는 것이 바로 건乾으로 돌아가는 것이다. 오직 이 방법을 따라야만 자연스럽게 정수精水가 충족되고 신화神火가 발생하며 의토意土가 머무르고 고정하며 정신의 태胎[12]를 맺을 수 있다.

蜣螂轉丸 而丸中生白 神注之純功也。
강랑전환 이환중생백 신주지순공야

糞丸中尙可生胎離殼 而吾天心休息處。注神於此 安得不生身乎?
분환중상가생태리각 이오천심휴식처 주신어차 안득불생신호

쇠똥구리가 똥을 굴리듯이 정신을 계속 굴리면 굴리는 정신 속에서 백白이 생기니 정신이 모이는 순수한 공법이다.
굴리는 똥[13] 덩어리 속이 오히려 태胎를 만들고 허물을 벗기 좋으니 천심天

61

心이 휴식[14]하는 곳이다. 이곳에 정신을 모으니 어찌 나를 살리지 못하겠는 가?

一靈眞性 旣落乾宮 便分魂魄。
일 령 진 성 기 락 건 궁 변 분 혼 백

魂在天心 陽也 輕淸之氣也 此自太虛得來 與元始同形。
혼 재 천 심 양 야 경 청 지 기 야 차 자 태 허 득 래 여 원 시 동 형

하나의 영靈이 진정한 본성이나, 건궁乾宮으로 떨어지면 곧 혼魂과 백魄으로 나뉜다.
혼魂은 천심에 있고 양陽이며 가볍고 맑은 기운이며, 이는 태허太虛에서 온 것이니 원시元始와 같은 모습이다.

魄陰也 沈濁之氣也 附于有形之凡心。
백 음 야 침 탁 지 기 야 부 우 유 형 지 범 심

魂好生 魄望死。一切好色動氣皆魄之所爲 卽識也。死後享血食 活則大苦。
혼 호 생 백 망 사 일 체 호 색 동 기 개 백 지 소 위 즉 식 야 사 후 향 혈 식 활 즉 대 고

陰返陰也 以類聚也。
음 반 음 야 이 류 취 야

백魄은 음陰이며 무겁고 탁한 기운으로 유형有形한 모든 마음에 붙어 있다.
혼은 생生을 좋아하고 백은 죽음을 원한다. 일체의 색욕과 기운에 끌리는 행동이 모두 백의 소행이며 곧 식識이다. 죽은 후에는 제물을 흠향하고 살아서는 크게 괴로워하며 생로병사의 고통을 만든다.
음陰은 음陰으로 돌아가니 같은 부류끼리 모이는 것이다.

學人煉盡陰魄 卽爲純陽。
학 인 련 진 음 백 즉 위 순 양

공부하는 자가 음陰과 백魄이 다하도록 수련하면 곧 순수한 양純陽이 된다.

1 원회元會: 원회운세元會運世의 줄임말. 소옹은 '황극경세서'에서 천지자연의 조화를 숫자 4로 설명하며 원元·회會·운運·세世로 시간의 순환을 설명하였다. 하루는 12시, 한 달은 30일, 1년은 12달, 한 세대(1世)는 30년, 1運은 12世로 360년, 1會는 30運으로 4320년, 1元은 12會로 129,600년이다.

2 무극無極: 무극은 대극對極이 없다는 뜻으로 음양으로 나뉘기 이전, 현실에 감응하기 이전을 말한다.

3 하늘, 땅: 인간에게 있는 정신과 육체를 하늘天과 땅地, 건乾과 곤坤이라 한다.

4 영靈: 이 책에서 말하는 영靈과 신神, 혼魂과 백魄의 개념은 정신세계 속의 기능을 말하는 것이지 신령이나 귀신 같은 영체를 말하는 것이 아니다.

5 비인부전非人不傳하던 비밀: 비인부전하던 비밀을 장원정은 光凝結法身 漸漸靈通欲動이라 하였고, 민일득은 凡人投胎 元神居方寸 識神居下心이라고 하였다.

6 식신거하심識神居下心: 식識의 정신이 아래에 있는 심장에 자리잡는다는 뜻이다. 여기서 아래 下는 낮다, 속세와 가깝다는 의미이다.

7 태아도치太阿倒置: 태아太阿는 유명한 보검의 이름이고, 도치倒置는 무기를 거꾸로 잡는 것을 말한다. 이는 장수의 칼끝이 밖을 향하지 않고 내부를 향한다는 의미이며, 임금이 밑에 있던 장수에게 대권을 빼앗기는 것을 비유하는 말이다.

8 식식정신: 식신識神, 식識의 정신. 본래는 존재하지 않았으나 사람이 성장하면서 만들거나 받아들인 정신으로, 세상을 인식하는 정신이 된다. 세상을 인식하는 정신이 된 뒤에는 마음을 장악하고 식심識心이 된다.

9 식식마음: 식심識心. 사회의 구성원이 된 후에 우리가 마음이라고 인식하는 것은 대부분 식識의 마음, 식심識心이다. 개인이나 집단이 만들고 서로 공유하는 마음이며, 이 마음을 통해 감정이나 견해, 사상 등을 함께하는 정신의 집을 만든다.

10 몸: 몸 신身. 원래 몸이란 육체와 정신으로 구분하기 이전의 전체로 작용하는 몸이다. 신身이라는 한자는 육신을 의미할 때는 '몸'이지만 인격을 의미할 때는 '나'이고, 둘 다 의미할 때는 '자기', '자신'이며 이 모두를 또 '몸'이라고 한다. 인간의 몸은 정신과 육체가 하나로 작용할 때 살아 있는 것이고, 두 개로 분리되어 있으면 죽은 것이다.

11 식識: 사람이 깨어 있을 때 작동하는 인식 기능을 말한다. 본래는 사물을 분별하고 인식하는 개인의 정신 기능이었으나, 점점 발달하여 다수의 인간이 서로 공유하는 사회적인 인식 체계가 된다.

12 성태聖胎: 태胎는 정신과 기氣가 응결한 것이다. 성태聖胎는 정신의 태를 높여 부르는 말이다.

　[道家經義說] 聖胎 神凝氣結也

　[도가경의설] 성태聖胎란 정신이 뭉치고 기氣가 응결하는 것이다.

13 똥: 똥 분糞. 분석심리학 꿈 분석에서 똥은 영혼의 배설물, 정신의 창작물을 상징한다. 똥을 굴린다는 것은 정신적인 작업을 계속 반복한다는 의미한다.

14 휴식休息: 쉴 휴, 멈출 식. 외부를 향해 끊임없이 움직이는 인식 기능, 식識을 멈추고 쉬는 것이 휴식休息이다. 식識을 멈출 수 있어야 휴식이 되고 그래야 흩어진 정신을 회복할 수 있다.

※ 凡人投胎時 元神居方寸 而識神則居下心: 이 부분은 도장집요에 없는 내용으로 선천허무태을금화종지에 있는 글을 인용 삽입하였다.

自然精水充足神火發生意土凝定而聖胎可結矢蟭螟轉光
而九中生白神注之純功也糞九中何可生胎離殼而吾天心
休息處注神於此安得不生身乎
一靈眞性既落乾宮便分魂魄魂在天心陽也輕清之氣也此
大虛得來與元始同形魄陰也沈濁之炁也附于有形之凡
心魂好生魄望死一切好色動氣皆魄之所爲即識也死後享
血食活則大苦陰返陰也以類聚也學人煉盡陰魄即爲純陽

回光守中第三

呂帝曰回光之名何昉乎昉之自文始眞人也（即關尹子光回則天）
地陰陽之氣無不凝所云精思者此也純氣者此也純想者此

逆柔轉乎
也初行此訣是有中似無久之功成身外有身乃無中似有百
日專功光機眞方爲神火百日後光自然一點眞陽忽生沈珠
如夫婦交合有胎便當靜以待之光之回即火候也
夫元化之中有陽光爲主宰有形者爲日在人爲目走漏神識
此甚順也故金華之道全用逆法也
直回造化之眞氣非止一時之妄想眞空千劫之輪迴之精華

又一年人間時刻也一息當百年九途長夜也凡人自團一息
和地一聲之後逐境順生至老未嘗逆視陽氣衰滅便是九幽
之界故楞嚴經云純想即飛純情即墮學人想少情多便沈淪
道惟諦觀息靜便成正覺用逆法也陰符經云機在目黃帝素

回光之名 何昉乎? 昉之自文始眞人也。
회 광 지 명　하 방 호　　방 지 자 문 시 진 인 야

회광回光이란 명칭은 누가 시작하였는가? 문시진인文始眞人[2]부터 시작하였다.

光回則天地陰陽之氣無不凝 所云精思者此也 純氣者此也 純想者此也。
광 회 즉 천 지 음 양 지 기 무 불 응　소 운 정 사 자 차 야　순 기 자 차 야　순 상 자 차 야
初行此訣 是有中似無 久之功成 身外有身 乃無中似有。
초 행 차 결　시 유 중 사 무　구 지 공 성　신 외 유 신　내 무 중 사 유

광光이 돌아가면 천지 음양의 기운 중에 뭉치지 않는 것이 없으니 소위 말하는 유가의 정사精思가 이것이고, 도가의 순기純氣도 이것이며, 불가의 순상純想도 이 뜻이다.
처음 이 비결을 수행할 때는 유有 속에서 무無를 느끼지만 오랫동안 수행하여 공부가 성숙하면 내 밖에도 내가 있어 무無 속에서 유有를 느낀다.

百日專功 光纔眞 方爲神火。
백 일 전 공　광 재 진　방 위 신 화
百日後光自然一點眞陽 忽生沈珠 如夫婦交合有胎。
백 일 후 광 자 연 일 점 진 양　홀 생 침 주　여 부 부 교 합 유 태
便當靜以待之 光之回 卽火候也。
변 당 정 이 대 지　광 지 회　즉 화 후 야

백일로 공부에 전념하면 광光은 겨우 명료해지고 비로소 신화神火가 된다.
백일 후에 광은 자연히 한 점 진양眞陽이 되어 물속의 진주처럼 홀연히 생겨나고, 마치 부부가 결합하여 태胎가 생기는 것과 같다.
마땅히 고요 속에서 이를 기다리니 광光의 회귀回歸가 바로 연단煉丹하는 화후火候[3]이다.

夫元化之中 有陽光爲主宰 有形者爲日 在人爲目 走漏神識 莫此甚順也。 故
부 원 화 지 중 유 양 광 위 주 재 유 형 자 위 일 재 인 위 목 주 루 신 식 막 차 심 순 야 고
金華之道 全用逆法。
금 화 지 도 전 용 역 법

무릇 본원이 분화分化하는 중에는 양광陽光이 주재하고 있어 유형有形한 것에
서는 태양이 되고 사람에 있어서는 눈이 되며, 정신은 달려나가고 식識은
누설하니 이렇게 심한 순응이 따로 없구나. 그래서 금화金華의 도道는 역행
하는 공법만 사용한다.

回光者 非回一身之精華 直回造化之眞氣 非止一時之妄想 眞空千劫之輪迴。
회 광 자 비 회 일 신 지 정 화 직 회 조 화 지 진 기 비 지 일 시 지 망 상 진 공 천 겁 지 윤 회
故一息當一年 人間時刻也 一息當百年 九途長夜也。
고 일 식 당 일 년 인 간 시 각 야 일 식 당 백 년 구 도 장 야 야

회광回光은 내 몸의 정화를 돌리는 것이 아니며, 대자연이 조화하는 진기眞
氣를 바로 돌리는 것은 한 때의 망상으로 그치지 않고 천겁의 윤회輪廻 마저
진정 헛되게 한다. 그러므로 하나의 숨으로 보내는 일 년은 인생의 짧은 시
간이지만, 하나의 숨으로 보내는 백 년은 인생의 아홉 길에서도 길고 긴 어
둠이다.

凡人自臥地一聲之後 逐境順生 至老未嘗逆視 陽氣衰滅 便是九幽之界。
범 인 자 와 지 일 성 지 후 축 경 순 생 지 노 미 상 역 시 양 기 쇠 멸 변 시 구 유 지 계
故楞嚴經云 "純想卽飛 純情卽墮" 學人想少情多 沈淪下道。 惟諦觀息靜 便成
고 능 엄 경 운 순 상 즉 비 순 정 즉 타 학 인 상 소 정 다 침 륜 하 도 유 체 관 식 정 변 성
正覺 用逆法也。
정 각 용 역 법 야

대체로 사람이 어린 시절에 땅에 드러누워 크게 한번 발버둥친 이후로는 자
기 처지를 따라 생활에 순응하며, 노인이 될 때까지 한 번도 자기 삶을 거

역해서 바라보지 못하다가 양기陽氣가 쇠해 소멸하니, 이것이 바로 지옥地獄의 세계이다.

그래서 능엄경[4]에서 "순상純想은 날아오르고 순정純情은 떨어진다"고 하였으니, 공부하는 사람이 사색은 적게 하고 감정만 많으면 낮은 도에 빠지는 것이다. 오직 본질을 살피고 호흡이 고요하여야 비로소 정正을 깨닫고 역행하는 공법을 사용할 수 있다.

《陰符經》云 "機在目" 黃帝素問云 "人身精華 皆上注於空竅" 是也。
음 부 경   운   기 재 목   황 제 소 문 운   인 신 정 화   개 상 주 어 공 규   시 야

得此一節 長生者在玆 超生者亦在玆矣。此貫徹三教工夫也。
득 차 일 절 장 생 자 재 자 초 생 자 역 재 자 의   차 관 철 삼 교 공 부 야

음부경에 "마음의 기전이 눈에 있다[5]"고 하고, 황제소문에 "사람 몸의 정화는 모두 위로 올라가 공규空竅[6]에 주입된다"고 하였으니 이것이다.

저 한 구절을 깨우치면 오래 사는 것도 여기서 나오고 삶을 초월하는 것도 여기에 있다. 이것이 유불선 삼교를 관통하는 공부이다.

光不在身中 亦不在身外。
광 부 재 신 중 역 부 재 신 외

山河日月大地無非此光 故不獨在身中。聰明智慧一切運轉 亦無非此光 所以
산 하 일 월 대 지 무 비 차 광 고 부 독 재 신 중   총 명 지 혜 일 체 운 전 역 무 비 차 광   소 이

亦不在身外。
역 부 재 신 외

天地之光華布滿大千 一身之光華亦自漫天蓋地。所以一回光 大地山河一切皆
천 지 지 광 화 포 만 대 천 일 신 지 광 화 역 자 만 천 개 지   소 이 일 회 광 대 지 산 하 일 체 개

回矣。
회 의

광光은 내 안에 있는 것도 아니고 또 내 밖에 있는 것도 아니다.

산하山河 일월日月 대지大地가 광의 작용 아닌 것이 없기에 내 안에 홀로 존

재하는 것이 아니다. 총명과 지혜 같은 일체의 정신 작용이 광의 작용 아닌 것이 없기에 또 내 밖에 있는 것도 아니다.

천지의 광화光華는 세계에 가득하고 한 사람의 광화도 역시 하늘을 채우고 땅을 덮는다. 그런 까닭에 하나로 광光을 돌리면 대지 산하 일체가 모두 돌아가는 것이다.

人之精華上注於目　此人身之大關鍵也。
인 지 정 화 상 주 어 목 　 차 인 신 지 대 관 건 야

사람의 정화는 위로 올라가 눈에 주입되니, 이는 사람의 몸에서 매우 중요한 핵심 관건이다.

子輩思之　一日不靜坐　此光流轉　何所底止？若一刻能靜坐　萬劫千生　從此了
자 배 사 지 　 일 일 부 정 좌 　 차 광 류 전 　 하 소 저 지 　 약 일 각 능 정 좌 　 만 겁 천 생 　 종 차 료
徹。萬法歸於靜　眞不可思議　此妙諦也。
철 。 만 법 귀 어 정 　 진 불 가 사 의 　 차 묘 체 야

그대들은 생각해 보라, 하루라도 정좌하지 않으면 이곳저곳 돌아다니는 저 광光이 어느 곳에서 멈추겠는가? 만약 일각이라도 고요히 정좌할 수 있다면 만겁천생을 여기에서 끝낼 수 있다. 일체의 모든 현상이 고요 속에서 되돌아가니 진정 생각으로 헤아릴 수 없는 오묘한 이치이다.

然工夫下手　由淺入深　由粗入細　總以不間斷爲妙。
연 공 부 하 수 　 유 천 입 심 　 유 조 입 세 　 총 이 불 간 단 위 묘
工夫始終則一　但其間冷暖自知。要歸於天空地闊　萬法如如　方爲得手[7]。
공 부 시 종 즉 일 　 단 기 간 냉 완 자 지 　 요 귀 어 천 공 지 활 　 만 법 여 여 　 방 위 득 수

그러나 공부의 초보자는 얕게 시작하여 깊게 들어가야 하고, 성기게 시작하여 세세하게 들어가야 하며, 전체적으로는 끊어지지 않고 이어져야 오묘함

이 있다.

공부는 처음부터 끝까지 하나이니, 오직 그 사이에 일어나는 변화를 스스로 알아차려야 한다. 요컨대 아무리 하늘이 높게 땅이 광활하게 흐르더라도 진리는 변함없고 공부하는 방법은 스스로 터득해야 한다.

聖聖相傳 不離反照 孔云致知 釋號觀心 老云內觀 皆已括盡要旨。
성성상전 불리반조 공운치지 석호관심 노운내관 개이괄진요지
其餘入靜出靜前後 以小止觀書印證可也。
기여 입정 출정 전후 이소지관서인증 가야

성인이 성인에게 대를 이어가며 전하던 것이 눈과 마음을 돌리는 반조反照이다. 이는 공자의 치지致知 석가의 관심觀心 노자의 내관內觀 등을 모두 총괄하는 핵심 가르침이다.
그 나머지는 입성入靜과 출성出靜 전후로 잠깐씩 멈추어 책을 보고 검증하는 것으로 충분하다.

緣中二字妙極。
연중이자묘극
中無不在 遍大千皆在裏許 聊指造化之機 緣此入門耳。
중무부재 편대천개재리허 요지조화지기 연차입문이
緣者緣此爲端倪 非有定者也。此一字之義 活甚 妙甚。
연자연차위단예 비유정자야 차일자지의 활심 묘심

연중緣中이란 두 글자의 오묘함이 지극하다.
'중中'에는 없는 것이 없고 온 세상이 모두 이면에 있으니, 부족한 조화의 기전[8]을 가리키며 이를 인지하여 입문入門하는 것이다.
연緣이란 이를 인지하여 단초로 삼으라는 뜻이니 고정되어 있는 것이 아니다. 저 한 글자의 뜻이 깊게 살아 있고 깊게 오묘하다.

止觀二字 原離不得 卽定慧也 以後凡念起時 不要仍舊兀坐。
지관이자 원리부득 즉정혜야 이후범념기시 불요잉구올좌

當究此念在何處 從何起 從何滅 反覆推窮 了不可得。卽見此念起處也 不要
당구차념재하처 종하기 종하멸 반복추궁 요불가득 즉견차념기처야 불요

又討過起處。"覓心了不可得""吾與汝安心竟" 此是正觀 反此者 名爲邪觀。
우토과기처 멱심료불가득 오여여안심경 차시정관 반차자 명위사관

如是不可得已 卽仍舊綿綿去。
여시불가득이 즉잉구면면거

지관止觀이란 두 글자는 원래 서로 떨어질 수 없는 것이며, 곧 정혜定慧이니 앞으로는 모든 상념이 일어날 때마다 예전처럼 자리잡고 앉을 필요가 없다. 당연히 이 상념이 어디에 있는지 궁리해야 하나, 무엇을 따라 일어나는지 무엇을 따라 소멸하는지 추측하는 궁리를 반복해서는 조금도 잡을 수 없다. 곧 이 상념이 일어나는 곳을 본다면 허물이 일어나는 마음을 더 찾을 필요가 없다. 혜가는 "마음을 찾았으나 전혀 잡을 수 없다"고 하고 달마는 "내가 너에게 마음을 다 내려놓게 하였구나"라 하였으니, 이것이 바르게 본 것이며 여기에 반하는 것은 그릇된 관념, 사관邪觀이다.
이렇게 끝내지 못한다면 예전에 하던 대로 끊임없이 가야 한다.

止而繼之以觀 觀而繼之以止 是定慧雙修 此爲回光。
지이계지이관 관이계지이지 시정혜쌍수 차위회광

지止에서 관觀으로 이어가고 관觀에서 지止로 이어가면 이것이 정혜쌍수定慧雙修이며, 이것이 회광回光이다.

回者止也 光者觀也。
회자지야 광자관야

止而不觀 名爲有回無光 觀而不止 名爲有光無回。
지이불관 명위유회무광 관이부지 명위유광무회

회回는 멈추는 지止이고 광光은 보는 관觀이다.

멈추었으나 보지 못하면 회回는 있으나 광光이 없는 유회무광有回無光이고,

보았으나 멈추지 못하면 광光은 있으나 회回가 없는 유광무회有光無回이다.

誌之。
지 지

기억하라.

1 회광수중回光守中: 광光을 되돌려 중中을 지킨다. 여기서 中은 중간, 중심의 뜻으로 정신의 중심을 의미한다.

2 문시진인文始眞人: 관윤자關尹子. 춘추시대 말기 때의 도인. 노자의 제자이며 무상진인無上眞人 또는 문시선생文始先生이라 부른다. '문시진경文始眞經'에 회광回光을 언급하는 부분이 있다.

3 화후火候: 외약外藥에서 단약을 제련할 때 불길을 조절하는 비결을 화후火候라고 한다. 금단金丹에서 화후는 마음의 불, 심화心火를 신화神火로 만드는 과정을 의미한다. 약을 달이는 화로는 마음을 상징하고, 화로 속의 불길은 심화心火를 상징하며, 신화神火로 만든 불로불사의 약은 성광性光을 상징한다.

4 능엄경楞嚴經: 대불정여래밀인수증요의제보살만행수능엄경의 약칭. 중국에서 만들어진 불교 경전이다. 인도에서 전래하지 않은 수행과 개념들이 실려 있어 이를 두고 도가 수행과 불교의 교리가 합종하였다고 한다. 선종의 근본 경전이다.

5 기재목機在目: 황제음부경에 있는 글
[黃帝陰符經] 心 生於物 死於物 機在目
[황제음부경] 마음이 사물에서 생하고 사물에서 사라지는 기전이 눈에 있다.

6 공규空竅: 빌 공, 구멍 규. 공空은 구멍을 뚫는다, 통하게 한다는 의미로도 쓰인다. 구멍 규竅가 머리에서는 이목구비를 의미하며, 상주어공규上注於空竅는 사람 몸의 정화가 위로 올라가 정신의 기능을 활성화한다는 뜻이다.

7 득수得手: 수手는 수단과 방법이다. 득수得手는 수행하는 방법을 터득하는 것이고, 공부하수工夫下手는 공부의 시작, 초보자라는 뜻이고 심무처입수心無處入手는 마음이 비워진 곳으로 수행 방법이 입수된다는 뜻이다.

8 조화의 기전: 조화지기造化之機. 여기서 조화造化는 천지자연이 일으키는 신비한 현상이 아니라 정신의 조화이다. 아직은 부족하지만 정신 작용이 일어나는 원리이기도 하고, 또 중中을 이루는 조화이기도 하다.

※ 멱심료불가득覓心了不可得 오여여안심경吾與汝安心竟: 중국 선종禪宗의 시조 달마達磨
와 혜가慧可가 주고받는 선문답이다. 달마와 혜가의 실제 대화일 수도 있으나 그보
다는 대화의 형식을 취하고 있는 책으로 보는 것이 타당하다. 부처의 법인, 부처
가 깨달은 진리는 타인에게 구하는 것이 아니라는 말로도 유명하다.

[禪門拈頌] 達磨大師因慧可問 諸佛法印可得聞乎 師云諸佛法印匪從人得 可曰我心未寧
乞師與安 師云將心來與汝安 可曰 覓心了不可得 師云與汝安心竟

[선문염송] 달마대사께 혜가 묻기를 "부처의 법인法印을 들려주실 수 있습니까?"
대사 말하기를 "부처의 법인法印은 타인에게서 얻는 것이 아니다."
(얼마 후에) 혜가 왈 "제 마음이 평온하지 못하니 대사께 안심安心을 구합니다."
대사 말하기를 "장차 마음을 가져오면 너에게 안심을 주겠다."
(얼마 후에) 혜가 왈 "마음을 찾았으나 잡을 수 없습니다."
대사 말하기를 "너에게 마음을 다 내려놓게 하였구나."

※ 진리와 깨달음은 타인에게 구하는 것이 아니라는 말을 수용하는 데 오랜 시간
이 걸린다. 저 말을 받아늘여야 자기 공부가 시작된다. 누군가에게 배워서 하는
공부는 자기 공부가 아니기 때문에 금방 한계에 도달한다. 수행은 자기 안에서 발
견하는 것이지 타인에게 배우는 것이 아니다.

※ 지관止觀과 회광回光: 여기서 회回는 호흡을 멈추고 고요에 드는 도가道家의 호흡
수행이고, 관觀은 마음의 상념을 보고 진리를 찾는 불가佛家의 관법觀法 수행이다.
서로 떨어질 수 없는 수행이었던 도가의 호흡과 불가의 관법이 모여 회광回光이
되었다는 뜻이다.

回光調息 第四
회 광 조 식　제 4

者觀也止而不觀名爲有回無光觀而不止名爲有光無回誌
之

回光調息第四

呂帝曰宗旨只要純心行去不求驗而驗自至大約初機病痛
昏沈散亂二種盡之郤此有機竅無過寄心於息息者自心也
自心爲息心一動而即有氣氣本心之化也吾人念至速霎頃
一妄念即一呼吸應之故內呼吸與外呼吸如聲響之相隨一
日有幾萬息即有幾萬妄念神明漏盡如木槁灰死矣然則欲
無念乎不能無念也欲無息乎不能無息也莫若即其病而
藥則心息相依是已故回光必兼之調息此法全用耳光一是
目光一是耳光目光者外日月交光也耳光者內日月交精也
然精即光之凝定處同出而異名也故聰明總一靈光而已坐
時用目垂簾後定箇準則便放下然竟又恐不能存心於
聽息息之出入不可使耳聞聽惟聽其無聲一有聲即粗浮而
不入細即耐心輕輕微微些愈放愈微愈靜愈微忽然微
者遠斷此則息現前而心體可識矣蓋心細則息細心一則
動氣也息細則心細氣一則動心也定心必先之養氣者亦以
心無處入手故緣氣爲之端倪所謂純氣之守也
子輩不明動字動者以線索牽動言即制字之別名也既可以
奔趨使之動獨不可以純靜使之寧乎此大聖人觀心氣之交

宗旨只要純心行去 不求驗而驗自至。
종지지요순심행거 불구험이험자지

大約初機病痛 昏沈散亂 二種盡之 卻此有機竅。
대약초기병통 혼침산란 이종진지 각차유기규

無過寄心於息 息者自心也 自心爲息 心一動而卽有氣 氣本心之化也。
무과기심어식 식자자심야 자심위식 심일동이즉유기 기본심지화야

종지를 오직 순수한 마음으로 수행한다면 효험을 구하지 않아도 효험이 저절로 다가온다.

수행 초기에는 혼침昏沈[1]과 산란散亂[2]의 두 가지 병증이 모두 나타나고 이것을 물리치는 것에 수행의 핵심이 있다.

마음을 신기에 호흡보다 나은 것이 없고, 호흡이 자기의 마음이며 自와 心은 息(숨)을 이루고, 마음이 한 번 움직이면 기氣[3]가 생기니 기氣는 본래 마음이 변화한 것이다.

吾人念至速 霎頃一妄念 卽一呼吸應之。故內呼吸與外呼吸 如聲響之相隨 一
오인염지속 삽경일망념 즉일호흡응지 고내호흡여외호흡 여성향지상수 일

日有幾萬息 卽有幾萬妄念。
일유기만식 즉유기만망념

神明漏盡 如木槁灰死矣。然則欲無念乎? 不能無念也 欲無息乎? 不能無息也
신명루진 여목고회사의 연즉욕무념호 불능무념야 욕무식호 불능무식야

莫若卽其病而爲藥 則心息相依是已。
막약즉기병이위약 즉심식상의시이

사람의 상념은 지극히 빨라 삽시간에 하나의 망념이 되고, 즉시 하나의 호흡이 여기에 응한다. 때문에 내호흡과 외호흡이 소리와 울림처럼 서로의 뒤를 따르며 하루에 만 번의 호흡이 있으면 망념도 만 개에 이른다.

이렇게 정신이 다 새어나가면 메마른 고목枯木이 되어 죽음에 이르게 된다. 정신이 메마르지 않으려면 상념을 없애야 하는가? 만약 상념을 없애지 못한다면 호흡을 없애야 하는가?

호흡도 없애지 못한다면 이 병에는 치료약으로 삼을 만한 것이 없고 마음과

호흡이 서로 의지하는 방법이 있을 뿐이다.

故回光必兼之調息　此法全用耳光。　一是目光　一是耳光　目光者　外日月交光
고 회 광 필 겸 지 조 식　차 법 전 용 이 광　　일 시 목 광　일 시 이 광　목 광 자　외 일 월 교 광

也　耳光者　內日月交精也。　然精卽光之凝定處　同出而異名也。　故聰明總一靈
야　이 광 자　내 일 월 교 정 야　　연 정 즉 광 지 응 정 처　동 출 이 이 명 야　　고 총 명 총 일 영

光而已。
광 이 이

그래서 회광回光은 반드시 숨 고르는 조식調息[4]을 겸해야 하고, 이것이 이광
耳光을 온전하게 수행하는 방법이다. 공법의 하나는 목광目光이고 하나는 이
광耳光이다. 목광은 밖에서 일월日月이 광光을 교류하는 것이고 이광은 안에
서 일월이 정精을 교류하는 것이다. 그러나 정精이란 광光이 머무르고 고정
하는 곳이니 서로의 뿌리는 같고 이름만 다른 것이다. 그러므로 정신의 총
명聰明이란 영광靈光[5]이 하나로 모인 것일 뿐이다.

坐時用目垂簾後　定個準則便放下。　然竟放又恐不能　卽存心於聽息。　息之出入
좌 시 용 목 수 렴 후　정 개 준 즉 변 방 하　　연 경 방 우 공 불 능　즉 존 심 어 청 식　　식 지 출 입

不可使耳聞聽　惟聽其無聲。
불 가 사 이 문 청　유 청 기 무 성

정좌할 때 눈으로 발을 내린 후에 하나의 기준으로 고정하였으면 곧 내려놓
는다. 그러나 끝내 내려놓거나 고정하지 못한다면 즉시 호흡을 듣는 것에
마음을 집중하라[6]. 호흡의 출입이 소리가 되어 귀에 들리지 않도록 하라.
오직 그 소리 없음을 듣는 것이다.

一有聲　卽粗浮而不入細　卽耐心　輕輕微微些　愈放愈微　愈微愈靜。　久之　忽
일 유 성　즉 조 부 이 불 입 세　즉 내 심　경 경 미 미 사　유 방 유 미　유 미 유 정　구 지　홀

然微者遽斷。　此則眞息現前　而心體可識矣。
연 미 자 거 단　차 즉 진 식 현 전　이 심 체 가 식 의

한 번이라도 숨소리가 들리면 호흡이 거칠고 떠 있어 가늘게 들이쉬지 못하는 것이니, 바로 거칠어진 마음을 견디며 가볍고 미미하게 조금씩 더 내려놓으면 더 미약하고 [호흡이] 더 미약하면 [마음이] 더 고요하다. 이를 오래도록 수행하면 홀연 미약하던 것이 빠르게 끊어지니, 이것으로 진식眞息[7]이 눈앞에 나타나고 마음의 실체를 알게 된다.

蓋心細則息細　心一則動氣也。息細則心細　氣一則動心也。
개 심 세 즉 식 세　심 일 즉 동 기 야　　식 세 즉 심 세　기 일 즉 동 심 야

定心必先之養氣者　亦以心無處入手　故緣氣爲之端倪　所謂純氣之守也。
정 심 필 선 지 양 기 자　역 이 심 무 처 입 수　고 연 기 위 지 단 예　소 위 순 기 지 수 야

대체로 마음이 세밀하면 숨이 세밀하고 마음이 하나되면 기를 움직인다. 숨이 세밀하면 마음이 세밀하고 기운이 하나되면 마음을 움직인다.

마음을 고정하는 수행에서 반드시 양기養氣를 먼저 하는 것은 마음이 비워신 곳으로 수행하는 방법이 들어오기 때문이며, 기氣로 말미암아 수행의 단초를 삼는 것이 소위 말하는 '순수한 기운을 지키는 것純氣之守'이다.

子輩不明動字　動者以線索牽動言　卽制字之別名也。旣可以奔趨使之動　獨不
자 배 불 명 동 자　동 자 이 선 색 견 동 언　즉 제 자 지 별 명 야　　기 가 이 분 추 사 지 동　독 불

可以純靜使之寧乎?
가 이 순 정 사 지 녕 호

此大聖人視心氣之交　而善立方便以惠後人也。
차 대 성 인 시 심 기 지 교　이 선 립 방 편 이 혜 후 인 야

그대들은 '마음이 동動한다'는 뜻을 잘 알지 못하나, 마음이 동動한다는 것은 마음이 끈에 묶여 움직인다는 말이며, 곧 끌려가느라 속박당한 것을 모르는 것이다. 이미 세상일로 분주하게 끌려 다녔으니 어찌 순수한 고요로 평안을 만들지 않는가?
이것은 큰 성인이 마음과 기氣의 교류를 살피고 좋은 수행법을 만들어 후인

들에게 은혜를 베푼 것이다.

丹書云 "雞能抱卵心常聽" 此要妙訣也。
단 서 운 계 능 포 란 심 상 청   차 요 묘 결 야

蓋雞之所以能生卵者 以暖氣也 暖氣止能溫其殼 不能入其中 則以心引氣入。
개 계 지 소 이 능 생 란 자 이 난 기 야 난 기 지 능 온 기 각 불 능 입 기 중 즉 이 심 인 기 입

其聽也 一心注焉 心入則氣入 得暖氣而生矣。
기 청 야 일 심 주 언 심 입 즉 기 입 득 난 기 이 생 의

단서丹書에서 "닭이 알을 품을 수 있는 것은 마음으로 항상 듣기 때문이라"
하였으니 이는 헤아릴 수 없을 만큼 중요한 가르침이다.
대체로 닭이 알에서 깨어날 수 있는 것은 어미의 따뜻한 기운 때문이나 어
미의 따뜻한 기운은 알의 껍질을 따뜻하게 하는 데에 그치고, 알의 속까지
들어가지 못하는 것을 마음으로 끌어서 기운이 들어가는 것이다.
어미가 듣는다는 것에 마음을 하나로 모아 집중하니 마음이 들어가면 기가
들어가고 따뜻한 기를 얻게 되어 닭이 알에서 깨어나는 것이다.

故母雞雖有時出外 而常作側耳勢 其神之所注未嘗少間也。神之所注未嘗少間
고 모 계 수 유 시 출 외   이 상 작 측 이 세 기 신 지 소 주 미 상 소 간 야   신 지 소 주 미 상 소 간

卽暖氣亦晝夜無間 而神活矣。
즉 난 기 역 주 야 무 간 이 신 활 의

그러므로 어미 닭이 비록 밖으로 나가는 경우가 있더라도 항상 귀 기울여
듣는 자세를 유지하고 있어, 그 정신이 모이는 바가 작은 끊어짐도 없다.
정신이 모이는 바가 조금도 끊어지지 않으면 따뜻한 기운 역시 밤이나 낮이
나 끊어짐이 없으니 이로써 정신이 살아나게 된다.

神活者 由其心之先死也。人能死心 元神卽活。
신 활 자 유 기 심 지 선 사 야   인 능 사 심 원 신 즉 활

死心非枯槁之謂　乃專一不分之謂也。
사심비고고지위　내전일불분지위야

佛云"置心一處　無事不辦"心易走　卽以氣純之　氣易粗　卽以心細之。如此而
불운　치심일처　무사불판　심이주　즉이기순지　기이조　즉이심세지　여차이

心焉有不定者乎?
심언유부정자호

정신이 살아나는 것은 그 마음이 먼저 죽어야 가능하다. 사람이 능히 마음을 죽일 수 있다면 원정신이 즉시 살아난다.

마음을 죽인다는 것은 나무를 말려 죽이는 그런 것이 아니라 오롯이 하나가 되어 나뉘지 않는 것을 말한다.

부처는 "마음을 한곳에 두면 주관하지 못할 일이 없다"고 하였으니, 마음이 쉽게 달려나갈 때에는 기氣(숨)로 이를 순수하게 하고, 기운이 쉽게 거칠어질 때는 마음으로 이를 세밀하게 한다. 이렇게 하면 마음에 어찌 고정하지 못할 것이 있겠는가?

大約昏沈散亂二病　只要靜功日日無間　自有大休息處。
대약혼침산란이병　지요정공일일무간　자유대휴식처

若不靜坐時　雖有散亂　亦不自知　旣知散亂　卽是卻散亂之機也。
약부정좌시　수유산란　역부자지　기지산란　즉시각산란지기야

대부분 혼침과 산란의 두 병증이라도 고요의 공부를 매일매일 끊어짐 없이 이어가면 큰 휴식처休息處가 저절로 만들어진다.

만일 정좌를 수행하지 않았을 때라면 아무리 산란에 빠져 있어도 스스로 알아차리지 못하지만, 이미 정좌를 통해 산란을 알아차리게 되었다면 그것이 산란을 물리치는 기전이 된다.

昏沈而不知　與昏沈而知　相去奚啻千里? 不知之昏沈　眞昏沈也。知之昏沈　非
혼침이부지　여혼침이지　상거해시천리　부지지혼침　진혼침야　지지혼침　비

全昏沈也 淸明在是矣。
전 혼 침 야   청 명 재 시 의

혼침을 알아차리지 못하는 것과 혼침을 알아차리는 것의 차이가 어찌 천리
에 그치겠는가? 알아차리지 못하는 혼침이 진짜 혼침眞昏沈[8]이다. 혼침을 알
아차리면 완전한 혼침이 아니며, 정신을 깨우는 청명淸明이 여기에 있다.

散亂者神馳也 昏沈者神未淸也。散亂易治 昏沈難醫。譬之病焉 有痛有癢者
산 란 자 신 치 야   혼 침 자 신 미 청 야   산 란 이 치   혼 침 난 의   비 지 병 언   유 통 유 양 자

藥之可也 昏沈則麻木不仁之症也。散者可以收之 亂者可以整之 若昏沈則蠢
약 지 가 야   혼 침 즉 마 목 불 인 지 증 야   산 자 가 이 수 지   란 자 가 이 정 지   약 혼 침 즉 준

蠢焉 冥冥焉。
준 언   명 명 언

散亂尙有方所 至昏沈 全是魄用事也 散亂尙有魂在 至昏沈則純陰爲主矣。
산 란 상 유 방 소   지 혼 침   전 시 백 용 사 야   산 란 상 유 혼 재   지 혼 침 즉 순 음 위 주 의

산란散亂은 정신이 밖으로 달리는 것이고, 혼침昏沈은 정신이 맑지 못한 것
이다. 산란은 치료가 쉬우나 혼침은 치료가 어렵다. 질병에 비유하면 아프
거나 가려운 것은 치료가 가능하나 혼침은 감각이 마비되어 자기 상태를 느
끼지 못하는 것이다. 산散은 수렴으로 치료가 가능하고 란亂은 정돈으로 치
료가 가능하나, 혼침은 정신이 가로막혀 아무것도 할 수 없다.
산란은 아직 방법이 있으나 혼침에 이르면 백魄이 완전히 점령한 것이며,
산란은 아직 혼魂이 남아 있는 상태이나 혼침에 이르면 순음純陰이 주인이
된 것이다.

靜坐時欲睡去 便是昏沈。
정 좌 시 욕 수 거   변 시 혼 침

卻昏沈只在調息 息卽口鼻出入之息 雖非眞息 而眞息之出入 亦於此寄焉。
각 혼 침 지 재 조 식   식 즉 구 비 출 입 지 식   수 비 진 식   이 진 식 지 출 입   역 어 차 기 언

정좌할 때에 잠자러 가고 싶은 것이 바로 혼침이다.

혼침을 막는 것이 오직 숨 고르는 조식調息에 있고, 숨이 입과 코로 출입하는 호흡이라 비록 진식眞息이 아니지만 진식眞息의 출입도 역시 이것에 의존한다.

凡坐須要靜心純氣　心何以靜　用在息上　息之出入　惟心自知　不可使耳聞。不
범 좌 수 요 정 심 순 기　심 하 이 정　용 재 식 상　식 지 출 입　유 심 자 지　불 가 사 이 문　불

聞則細　細則淸　聞則氣粗　粗則濁　濁則昏沈而欲睡　自然之理也。　雖然心用在
문 즉 세　세 즉 청　문 즉 기 조　조 즉 탁　탁 즉 혼 침 이 욕 수　자 연 지 리 야　　수 연 심 용 재

息上　又要善會用　亦是不用之用　只要微微照聽可耳。
식 상　우 요 선 회 용　역 시 불 용 지 용　지 요 미 미 조 청 가 이

결국 정좌는 마음이 고요하고 기운이 순수해야 하는 것이니 마음이 무엇으로 고요한가? 그 작용이 호흡에 있으니, 호흡의 출입은 오직 마음이 저절로 알아야지 숨소리가 귀에 들려서는 안 된다. 숨소리가 들리지 않아야 호흡이 미세하고, 호흡이 미세하여야 정신이 맑다. 숨소리가 들리면 호흡이 거칠고 호흡이 거칠면 정신이 탁하고, 정신이 탁하면 혼침으로 잠들고 싶은 것이 자연의 이치이다. 이치가 비록 그러하나 마음의 작용이 호흡에 있고 그 기전을 바르게 이해한다면 사용하지 못하던 기능이지만 미미하게 照(비추고) 聽(듣는 것)이 가능하다.

何謂照?
하 위 조
卽眼光自照。
즉 안 광 자 조
目惟內視而不外視　不外視而惺然者　卽內視也　非實有內視。
목 유 내 시 이 불 외 시　불 외 시 이 성 연 자　즉 내 시 야　비 실 유 내 시

무엇이 照[9](비추는 것)인가?
목광(目光=眼光)으로 자기를 보는 것이다.

눈은 오로지 내면만 보고 외부를 보지 않으니, 외부를 보지 않지만 정신이 깨어 있는 것이 바로 내면을 보는 것이며, 실제로 육체 내부를 보는 것은 아니다.

何謂聽?
하 위 청

卽耳光自聽。
즉 이 광 자 청

耳惟內聽而不外聽　不外聽而惺然者　卽內聽也　非實有內聽。
이 유 내 청 이 불 외 청　불 외 청 이 성 연 자　즉 내 청 야　비 실 유 내 청

무엇이 聽(듣는 것)인가?

이광耳光으로 자기를 듣는 것이다.

귀는 오로지 내면만 듣고 외부를 듣지 않으니, 외부를 듣지 않지만 정신이 깨어 있는 것이 바로 내면을 듣는 것이며 실제로 육체 내부 소리를 듣는 것은 아니다.

聽者聽其無聲　視者視其無形。
청 자 청 기 무 성　시 자 시 기 무 형

듣는 것은 그 소리 없음을 들어야 하고, 보는 것은 아무것도 없음을 보아야 한다.

目不外視　耳不外聽　則閉而欲內馳。惟內視內聽則又不內馳　而中不昏沈矣。
목 불 외 시　이 불 외 청　즉 폐 이 욕 내 치　유 내 시 내 청 즉 우 불 내 치　이 중 불 혼 침 의

此卽日月交精交光也。
차 즉 일 월 교 정 교 광 야

눈으로 외부를 보지 않고 귀로 외부를 듣지 않으면 문이 닫히면서 내면을 질주하기 시작한다. 오로지 내면만 보고 내면만 들으며 또 내면을 질주하지

않고 중中이 혼침에 빠지지 않는다. 이것이 바로 일월이 정精을 교류하고 광光을 교류하는 것이다.

昏沈欲睡 即起散步 神淸再坐。淸晨有暇 坐一炷香爲妙。過午人事多擾 易落
혼침욕수 즉기산보 신청재좌 청진유가 좌일주향위묘 과오인사다요 이락
昏沈 然亦不必限定一炷香。只要諸緣放下 靜坐片時 久久便有入頭 不落昏睡
혼침 연역불필한정일주향 지요제연방하 정좌편시 구구변유입두 불락혼수
矣。
의

혼침으로 잠들고 싶으면 즉시 일어나 가볍게 산보하고 정신이 맑아지면 다시 좌정하라. 새벽에 깨어 여유를 갖고 향 한 자루 태우는 정좌는 참으로 훌륭하다. 정오가 지나면 인간사에 시끄러움이 많아 쉽게 혼침으로 떨어지나 그렇다고 시간을 제한할 필요는 없다. 오직 모든 인연을 내려놓고 잠깐의 정좌라도 꾸준히 반복하면 머리로 깨치는 것이 있어 혼수昏睡[10]에 빠지지 않는다.

1 혼침昏沈: 어두울 혼, 잠길 침. 정신이 어둠에 막혀 흐려진 것이다. 명상 도중 잠에 빠지거나 정신이 멍한 상태로 있는 것을 혼침이라고 한다. 혼침에 빠지면 시간이 흘러도 알지 못하니 그 시간만큼 정신이 off된 것이다. 무의식의 지배가 강할수록 혼침에 쉽게 빠지고, 무의식에 쉽게 빠지는 것이 백魄의 작용이다.

2 산란散亂: 흩어질 산, 어지러울 란. 정신이 흐트러져 어지러운 것이다. 명상 중에 잡다한 상념이 일어나고 정신이 혼란스러운 것을 말한다. 현실에 대한 욕심이나 집착이 강할수록 산란이 쉽게 일어난다.

3 기氣: ①호흡을 할 때 숨을 통해 들어오고 나가는 기운. ②인체를 살아 있게 하는 힘. ③눈에는 보이지 않지만 감각으로 느껴지는 기운.

4 조식調息: 고를 조, 호흡 식. 코로 들이마시고 입으로 뱉어 숨을 고르고 마음의 고요를 되찾는 것이다. 가쁜 숨을 가라앉히고 순조롭게 가다듬는 '숨 고르기'로 육체의 안정을 찾는다.

5 영광靈光: 영감靈感. 마음의 작용에 의한 특이한 예감이나 창조적인 기발한 착상.

6 **坐時用目垂簾後 定個準則便放下 然竟放又恐不能 即存心於聽息**: 정좌할 때에는 눈꺼풀을 내려 눈앞에 발을 내리고, 눈앞에 시선과 정신을 고정하고 나를 내려놓는 방하放下를 수행한다. 그러나 끝내 시선을 고정하지 못하고 나를 내려놓지 못한다면 호흡을 듣는 것에 마음을 집중하고 고요한 호흡을 수련한다.

7 진식眞息: 진정한 숨, 진정한 호흡. 현실을 벗어나 고요에 들었을 때 숨쉬는 호흡이다. 방하放下하여 마음을 내려놓으면 평소의 호흡은 사라지고, 평소의 호흡에 가려져 있던 진정한 숨이 나타난다.

8 진짜 혼침: 진혼침眞昏沈. 정말 무서운 혼침은 혼침에 빠진 것을 알지 못한다. 정좌할 때 혼침에 빠진 것을 인지하지 못한다면 일상생활에서도 수시로 혼침에 빠지고 이를 자각하지 못하는 것이니 극히 주의해야 한다.

9 照(비추다): 비출 조. 내면을 보는 것. 내면의 역동에 휘둘리지 않고 정신이 깨어 있는 것이다. 내면을 보는 시간을 통해 내적 감각이 생기고, 이 과정을 꾸준히 수행하면 내면을 보는 감각이 바르게 자리 잡고 점점 성장한다.

10 혼수昏睡: 머리가 둔해지고 멍해지는 것을 혼昏, 정신이 잠드는 것을 수睡라고 한다.

※ 수행은 식識을 내려놓는 방하放下에 있다.

수행의 자세나 방법보다 더 중요한 것이 정신을 깨우고 마음을 내려놓는 것이다. 수행 방법이 조금 잘못되더라도 꾸준히 하다 보면 자신을 자각하게 되고 또 잘 잘못을 스스로 판단할 수 있게 되니, 자세나 방법에 대해 크게 연연할 필요가 없다. 다만 바닥에 앉아 수행할 때는 반가부좌나 양반다리로 하고 좌식 의자를 이용하여 자세의 부담을 줄이는 것이 좋다. 바닥에 앉아서 하는 수행은 무릎과 고관절에 부담이 되니 하체 운동을 꾸준히 해야 한다. 건강한 몸이 있어야 건전한 정신을 유지하고 바르게 수행할 수 있다.

우선은 좌식 의자에 앉아서 양손을 포개어 배 위에 두는 것이 좋다. 팔이 짧은 동양인이 양팔을 늘어뜨려 다리 위에 놓으면 상체가 구부러지고 흉곽이 눌리게 된다. 양손을 포개어 배 위에 놓는 것은 혼침을 예방하는 효과가 크고, 흉곽이 바르게 펴져 호흡이 바르게 된다. 호흡은 실제로 폐가 움직여야 한다. 평소에 코로 들이쉬고 입으로 내쉬는 심호흡으로 흉곽이 열리고 닫히는 연습을 해야 한다. 나이가 들어 폐가 굳어지면 호흡할 때 흉곽이 움직이지 않으니, 호흡할 때마다 자연스럽게 폐가 커지고 작아질 수 있도록 숨쉬는 연습을 한다.

처음에는 눈을 반개하고 명상을 하는 것이 어색하고 힘들지만 눈을 반개한 상태로 고요에 드는 것을 연습한다. 심호흡으로 시작하여 고요한 호흡에 이르는 것이 진정한 숨을 찾는 이광耳光 수행이다. 고요한 호흡에 이르도록 자기 호흡에 집중하고, 상념에 빠져 숨이 거칠어지면 생각을 되돌려 다시 호흡에 집중하기를 반복한다. 이때 방하放下를 시도하는 것이 좋다. 세상에 대한 욕심을 하나씩 놓을 때마다 호흡은 자연스러워지고 마음을 비울수록 숨이 고요하게 된다. 처음에는 마음에서 덜어내는 것이 쉽지 않지만 한 번 덜어내는 것에 성공하고 또 요령이 생기면 쉽게 마음을 비우고 고요에 들 수 있다.

[慧命經의 面壁圖]
혜명경　면벽도

고요한 호흡에 익숙해지면 시선을 고정하는 수련을 한다. 눈꺼풀을 내려 코끝이 보이도록 반개하고 시선을 고정하는 목광目光 수행이다. 상념이 생겨 고정된 시선이 틀어지면 정신을 차리고 다시 시선을 고정하는 것을 반복한다. 시선을 고정하는 것을 계속 반복하면 상념에도 고정된 시선이 흔들리지 않게 된다.

호흡이 안정되고 시선의 고정을 이루면 정신을 고정하는 신광神光을 수행한다. 정신을 고정하는 것이 정신을 모으는 것이고, 이때 이광과 목광을 함께 수행한다. 호흡과 정신을 같이 수행하는 것이 금단金丹 수행이다.

코끝을 보거나 또는 시선을 아래로 내리는 것은 심화心火로 산란이 심하거나 상기된 기운을 내릴 때에 사용한다. 눈꺼풀을 많이 내리면 자연히 코끝을 보게 되고 이는 산란을 벗어나고자 할 때 자연스럽게 나타난다. 눈꺼풀을 내리는 것은 현실과 차단하는 막을 내리는 것으로 너무 많이 내리거나 눈을 감으면 정신이 내면을 질주하거나 혼침에 빠지기 쉽고, 반대로 눈꺼풀을 너무 많이 열면 현실에서 벗어나지 못하고 정신이 외부로 달려나가 산란에 빠지기 쉽다.

산란과 질주, 혼침에 빠지지 않고 정신이 깨어 있는 것이 공부의 핵심이다.

정신을 모은다는 것이 낯설고 어려운 일이지만 시선과 정신을 고정하다 보면 정신이 모이게 되고, 또 이를 반복하다 보면 정신을 모으는 감각이 자연스럽게 생기게 된다.

回光差謬[1] 第五

회광차류 제5

回光差謬第五

呂帝曰諸子工夫漸漸純熟然枯木岩前錯落多正要細細開
示此中消息身到方知吾今則可以言矣吾宗與禪學不同有
一步一步徵驗請先言其差別處然後再言徵驗宗旨將行之
際預作方便勿多用心放教活潑潑地令氣和心適然後入靜
靜時正要得機得竅不可坐在無事甲裏所謂無記空也萬緣放下之
中惺惺自若也又不可意與承當凡太認眞卽易有此非言不
亡之間原有意惺惺不昧之中放下自若也又不可墮于蘊界
無意得亡可也但認眞消息在若存若
所謂蘊界者乃五陰魔用事如一般入定而槁木死灰之意多
大地陽春之意少此則落陰界其氣冷其息沈且有許多寒衰

諸子工夫　漸漸純熟。然枯木岩前錯落多　正要細細開示。
제자공부　점점순숙　연고목암전착락다　정요세세개시

此中消息　身到方知　吾今則可以言矣。吾宗與禪學不同　有一步一步徵驗　請
차중소식　신도방지　오금즉가이언의　오종여선학부동　유일보일보징험　청

先言其差別處　然後再言徵驗。
선언기차별처　연후재언징험

그대들의 공부가 점점 원숙해지고 있다. 그러나 수행을 착각하여 목석木石이
되는 경우도 많으니 바로 상세하고 분명하게 설명하겠다.
저 이면의 소식은 몸이 도달하면 모조리 알게 될 것이나 지금은 내가 말하
겠다. 우리의 종지는 선학禪學과 다르고 한 걸음 한 걸음에 징험이 있으니
잘못되기 쉬운 부분들을 먼저 이야기하고 그 후에 징험에 대해 다시 말하겠
다.

宗旨將行之際　預作方便勿多用心　放教活潑潑地　令氣和心適　然後入靜。
종지장행지제　예작방편물다용심　방교활발발지　영기화심적　연후입정

靜時正要得機得竅　不可坐在無事甲裏　所謂無記空也。
정시정요득기득규　불가좌재무사갑리　소위무기공야

앞으로 종지를 수행할 때는 미리 방편을 만들어 놓고 과도하게 집중하지 말
라. 풀어놓고 생생하게 살아나야 기운이 조화롭게 마음이 다스려지고 그 뒤
에 고요에 든다.
고요에 들 때는 곧바로 조식의 기틀을 갖추고 수행의 핵심으로 나아가야지
좌선의 껍질을 뒤집어쓰고 아무 일 없이 앉아 있는 무기공無記空[2]을 하여서
는 안 된다.

萬緣放下之中　惺惺自若也　又不可意興承當。
만연방하지중　성성자약야　우불가의흥승당

凡太認眞　即易有此。非言不宜認眞　但眞消息在若存若亡之間　以有意無意得
범태인진　즉이유차　비언불의인진　단진소식재약존약망지간　이유의무의득

91

之可也。
지 가 야

모든 인연을 내려놓는 방하放下[3] 속에서도 정신은 변함없이 깨어 있어야 하고, 또 일시적인 마음이나 흥미로 받아들여서는 안 된다.
대체로 참을 지나치게 인식하면 이것은 쉽게 나타난다. 물론 참을 인식하는 것이 옳지 않다는 뜻이 아니라, 다만 진짜 소식은 있는 듯 없는 듯한 그 사이에 있으니 자기도 모르는 사이에 얻어야 좋은 것이다.

惺惺不昧之中　放下自若也　又不可墮于蘊界[4]。
성 성 불 매 지 중　방 하 자 약 야　우 불 가 타 우 온 계
所謂蘊界者　乃五陰魔用事。
소 위 온 계 자　내 오 음 마 용 사
如一般入定　而槁木死灰之意多　大地陽春之意少　此則落陰界。其氣冷　其息沈
여 일 반 입 정　이 고 목 사 회 지 의 다　대 지 양 춘 지 의 소　차 즉 락 음 계　기 기 냉　기 식 침
且有許多寒衰景象　久之便墮木石。
차 유 허 다 한 쇠 경 상　구 지 변 타 목 석

정신이 항상 깨어 잠들지 않는 일상 속에서도 방하放下는 변함없어야 하고, 또한 짐 지고 살아가는 생활이 되어서는 안 된다.
이른바 짐을 지고 산다는 것[5]은 오음마에게 좌지우지되는 것이다.
평소처럼 입정하면 생명력이 말라버린 건조한 생각은 많아지고 생명력 가득한 따뜻한 생각은 적어지니, 이렇게 하여 본성을 가리고 덮고 살아가는 것이다. 그 기운은 싸늘하고 호흡은 무거우며 또 차갑고 쇠약해지는 현상들이 허다하게 나타나니, 이것이 오래되면 생기가 사라지고 목석木石으로 살게 된다.

又不可隨于萬緣。
우 불 가 수 우 만 연

如一入靜 而無端衆緒忽至 欲卻之不能 隨之反覺順適。此名"主爲奴役"久之
여 일 입 정　이 무 단 중 서 홀 지　욕 각 지 불 능　수 지 반 각 순 적　차 명 주 위 노 역　　구 지
落于色欲界。
락 우 색 욕 계

또 경솔하게 모든 인연을 따라서도 안 된다.
평소처럼 입정하면 까닭 없는 많은 일들이 홀연히 나타나고 물리치려 하여
도 할 수가 없고, 이를 따라가면 도리어 순응과 적응을 깨닫게 된다. 이는
주인이 노예로 전락한 것이니 오래 지속되면 색계色界와 욕계欲界로 떨어진다.

差路旣知 然後可求證驗。
차 로 기 지　연 후 가 구 증 험

어긋나는 길은 미리 알고 있어야 그 후에 수행의 증험證驗[6]을 찾을 수 있다.

1 차류差謬: 어긋날 차, 그르칠 류. 착오와 오류라는 뜻으로 잘못되기 쉬운 부분들을 설명하고 있다.

2 무기공無記空: ①명상을 하면서 정신을 놓고 있는 것. ②고요에 들었으나 수행의 목적을 놓쳐 버리고 멍하게 앉아 있는 수행.

3 방하放下: 놓을 방, 아래 하. 짐을 내려놓는 것이다. 집착을 만드는 여러 인연을 마음에서 풀어내고 내려놓으라는 뜻이다. 다만, 방하는 집착을 내려놓는 것이지 정신을 내려놓는 것이 아니다. 이를 구분하지 못하면 정신이 멍하게 풀어진 상태를 방하라고 착각한다.

4 惺惺不昧之中 放下自若也 又不可墮于蘊界: 일상 생활에서 정신은 늘 깨어 잠들지 않아야 하고, 항상 깨어 있는 일상에서도 방하는 변함없이 계속되어야 온계에 빠지지 않는다는 뜻.

5 온계蘊界: 온계가 음계陰界이다. 온蘊은 모아 쌓는 것이고 음陰은 가리고 덮는 것이다. 일과 업을 잔뜩 모으고 쌓아 본질을 보지 못하도록 가리고 덮고 살아가는 것을 말한다. 짐을 짊어지고 사는 것으로 번역하였다.

6 증험證驗: 수행의 증거를 자신의 변화로 경험하는 것.

回光證驗 第六
회 광 증 험　제 6

回光證驗第六

呂帝曰證驗亦多不可以小根小器承當必思度盡衆生不可
以輕心慢心承當必須請事斯語靜中綿綿無間神情悅豫如
醉如浴此爲遍體陽和金華乍吐也旣而萬籟俱寂皓月中天
覺大地俱是光明境界此爲心體開明金華正放也旣而遍體
充實不畏風霜人當之興味索然者我遇之精神更旺黃金起
屋白玉爲臺世間腐朽之物我以眞氣呵之立生紅血爲乳七

欲界差路旣知然後可求證驗

忽至欲卻之不能隨之反覺順適此名主爲奴役久之落于色
景象久之便墮于萬緣如一人靜而無端衆緒

證驗亦多 不可以小根小器承當 必思"度盡衆生"不可以輕心慢心承當 必須請
증 험 역 다 불 가 이 소 근 소 기 승 당 필 사 도 진 중 생   불 가 이 경 심 만 심 승 당 필 수 청
事斯語。
사 사 어

수행을 증거할 경험은 많지만 작은 근기 작은 그릇으로는 감당할 수 없으니
반드시 "모든 중생을 깨우리라" 다짐해야 하고, 경솔한 마음 거만한 마음으
로는 계승할 수 없으니 모든 중생을 깨우라는 저 말을 꼭 실천해야 한다.

靜中綿綿無間 神情悅豫 如醉如浴 此爲遍體陽和 金華乍吐也。
정 중 면 면 무 간 신 정 열 예 여 취 여 욕 차 위 편 체 양 화 금 화 사 토 야
旣而萬籟俱寂 皓月中天 覺大地俱是光明境界。此爲心體開明 金華正放也。
기 이 만 뢰 구 적 호 월 중 천 각 대 지 구 시 광 명 경 계   차 위 심 체 개 명 금 화 정 방 야

고요한 중中[1]을 끊어짐 없이 이어가면 인세人世를 넘어서는 기쁨[2]에 안색이
취한 듯 목욕한 듯 하다. 이것은 온몸이 양기陽氣로 가득하고 금화金華[3]가 조
금씩 드러나는 것이다.
이어서 만물의 소리까지 모두 고요로 사라지면 밝은 달이 중천中天에 떠오
르고 대지大地가 모두 광명경계임을 깨닫는다. 이것은 마음의 본체까지 개명
開明[4]하고 금화가 완연하게 드러나는 금화정방金華正放이다.

旣而遍體充實 不畏風霜 人當之興味索然者 我遇之精神更旺。黃金起屋 白玉
기 이 편 체 충 실 불 외 풍 상 인 당 지 흥 미 색 연 자 아 우 지 정 신 갱 왕 황 금 기 옥 백 옥
爲臺。世間腐朽之物 我以眞氣呵之立生 紅血爲乳 七尺肉團 無非金寶。此則
위 대 세 간 부 후 지 물 아 이 진 기 가 지 입 생 홍 혈 위 유 칠 척 육 단 무 비 금 보 차 즉
金華大凝也。
금 화 대 응 야

이어서 온몸이 충실하고 모진 풍상이 두렵지 않으니 사람들이 당하면 흥미
가 사라지는 것도 내가 만나면 정신精神[5]이 더욱 왕성하다. 진금眞金으로 집

을 세우고 백옥으로 대를 짓는다. 세상 속에서 변해 가는 가치들을 나의 참된 기운으로 깨우고 살리니, 붉은 피는 젖줄이 되고 칠 척 육신에 금빛 부처 아닌 것이 없다. 이것은 금화가 크게 응결하는 금화대응金華大凝이다.

第一段是應《觀經》日落大水行樹法象。日落者從混沌立基　無極也。上善若水
제 일 단 시 응　관 경　일 락 대 수 행 수 법 상　일 락 자 종 혼 돈 입 기　무 극 야　상 선 약 수

淸而無瑕　此卽太極主宰　出震之帝也。震爲木　故以行樹象焉。七重行樹　七竅
청 이 무 하　차 즉 태 극 주 재　출 진 지 제 야　진 위 목　고 이 행 수 상 언　칠 중 행 수　칠 규

光明也。
광 명 야

첫 번째 단계는 관경觀經의 일락日落, 대수大水, 행수行樹에 상응하는 과정이다. 해 지는 일락日落은 혼돈에서 기초를 세우는 무극이다. 지극히 선하여 물과 같고 맑아서 흠이 없으니, 이것이 바로 태극을 주재하는 진방震方에서 나오는 임금이다. 진震은 목木이기 때문에 나무로 상징하는 것이다. 칠중행수七重行樹는 칠규[6]광명이다.

第二段卽肇基于此　大地爲氷。琉璃寶地　光明漸漸凝矣。所以有蓬臺而繼之佛
제 이 단 즉 조 기 우 차　대 지 위 빙　유 리 보 지　광 명 점 점 응 의　소 이 유 봉 대 이 계 지 불

也。金性旣現　非佛而何? 佛者大覺金仙也。
야　금 성 기 현　비 불 이 하　불 자 대 각 금 선 야

두 번째 단계는 이곳에 기초를 세우니 대지는 얼음처럼 투명하다. 투명한 유리와 보물의 땅은 광명光明이 점점 응결하는 것이다. 이렇게 하여 연화대가 생겨나고 이를 계속 이어가니 부처이다. 금성金性이 나타났으니 부처가 아니면 무엇인가? 부처는 크게 깨달은 금선金仙을 이르는 말이다.

此大段證驗耳。
차 대 단 증 험 이

現在可考證驗有三
현 재 가 고 증 험 유 삼

이상은 크게 구분한 증험일 뿐이다.
현재 참고할 수 있는 증험에 세 가지가 있으니

一則坐去 神入谷中聞人說話 如隔里許 一一明了 而聲入皆如谷中答響 未嘗
일 즉 좌 거 신 입 곡 중 문 인 설 화 여 격 리 허 일 일 명 료 이 성 입 개 여 곡 중 답 향 미 상

不聞 我未嘗一聞。此爲神在谷中 隨時可以自驗。
불 문 아 미 상 일 문 차 위 신 재 곡 중 수 시 가 이 자 험

하나는 정좌 중에 정신이 계곡[7] 안으로 들어가면 사람의 말소리가 들리는데 멀리 떨어져서 말하는 듯하나 하나하나가 모두 또렷하고, 들려오는 소리가 모두 계곡 안에서 메아리가 답을 하는 것 같아 듣지 않을 수가 없고, 또 내가 한 번도 들은 적이 없는 소리를 듣는다. 이것은 정신이 계곡 안에 있는 신재곡중神在谷中이니 계곡 안으로 들어가면 수시로 경험할 수 있다.

一則靜中 目光騰騰 滿前皆白 如在雲中。開眼覓身 無從覓視。此爲虛室生
일 즉 정 중 목 광 등 등 만 전 개 백 여 재 운 중 개 안 멱 신 무 종 멱 시 차 위 허 실 생

白 內外通明 吉祥止止也。
백 내 외 통 명 길 상 지 지 야

하나는 고요한 중中에서 목광目光이 등등하고 눈앞에 가득하니 마치 흰구름 속에 있는 것처럼 모든 것이 명백하다. 눈을 뜨고 나를 찾아도 찾고 보고 할 도리가 없다. 이것이 허실생백虛室生白[8]이며, 집을 비워 백白을 생하면 내 외內外를 통달하고 모든 것이 명백하니 가장 좋은 것은 멈춰야 할 때에 멈추는 것이다.

一則靜中 肉身絪縕[9] 如綿如玉。坐中若留不住 而騰騰上浮。此爲神歸頂天
일 즉 정 중 육 신 인 온 여 면 여 옥 좌 중 약 류 부 주 이 등 등 상 부 차 위 신 귀 정 천

久之 上昇可以久待。
구지 상승가이구대

하나는 고요한 중中에서 육신이 기운으로 가득 차 마치 목화 솜 같고 구슬
같다. 몸은 정좌하여 머물러 있으나 인신人身의 정화는 머물지 않고 올라가
고 올라간다. 이것은 정신이 하늘을 따르는 신귀정천神歸頂天으로, 꾸준히 수
행하면 지력智力이 상승하니 오래 기다릴 수 있다.

此三者 皆現在可驗者也。
차삼자 개현재가험자야

然亦是說不盡的 隨人根器 各現殊勝。如《止觀》中所云 "善根發相"是也。
연역시설부진적 수인근기 각현수승   여 지관 중소운   선근발상 시야

此事如人飮水冷暖自知 須自己信得過方眞。
차사여인음수냉난자지 수자기신득과방진

위 세 가지는 모두 현재 경험이 가능한 것들이다.
그러나 이 또한 말로 다 설명할 수 없으니 사람의 근기에 따라 각기 특별한
현상이 나타나기도 한다. 지관止觀에서 말하는 선근발상善根發相과 같다.
사람이 물을 마시면 차가운지 뜨거운지 경험해 저절로 아는 것처럼 이 일은
반드시 자기를 확실하게 경험해야 모든 것이 명확하다.

先天一氣 卽在現前證驗中自討。一氣若得 丹亦立成。此一粒眞黍也 一粒復
선천일기 기재현전증험중자토   일기약득 단역입성   차일립진서야 일립부

一粒 從微而至著。有時時之先天 一粒是也 有統體之先天 一粒乃至無量也。
일립 종미이지저   유시시지선천 일립시야 유통체지선천 일립내지무량야

一粒有一粒力量。此要自家膽大 爲第一義。
일립유일립역량   차요자가담대 위제일의

선천일기先天一氣[10]는 눈앞에 나타나는 수행의 증거와 경험 속에서 스스로 찾
아내는 것에 있다. 이렇게 일기一氣를 체득한다면 단丹 역시 바로 이루어진

다. 이 한 알은 기장 알 만큼 작지만, 한 알 한 알이 모여 작고 미세하던 것이 확연하게 커진다. 때때로 나타나는 선천先天은 한 개의 낱알이지만 전체로 나타나는 선천은 한 알이 무한하게 된 것이다. 한 알에는 한 알의 역량이 있다. 이것이 자기 그릇을 키우는 더 할 수 없는 묘약이다.

1 정중靜中: 고요한 중中.

2 열예悅豫: 인간의 욕구를 넘어서서 얻는 큰 기쁨.

3 금화金華: 금빛은 태양의 빛이고 광명이다. 부처의 금빛 광채가 곧 깨달음의 광
채이며, 금광金光이다.

4 개명開明: 생각이 깨어나는 것을 개명開明이라 하며, 수행을 통해 지혜와 총명이
열리는 것을 말한다.

5 정신精神: 정精과 신神, 곧 정기精氣와 정신精神.

6 칠규七竅: 일곱 칠, 구멍 규. 머리에 있는 눈2 코2 귀2 입1의 일곱 구멍이다. 보
고 듣고 냄새 맡고 맛을 보아 세상을 지각하는 머리에 있는 지각 기능이다. 머
리에 있는 지각 기능, 칠규가 때로는 두뇌를 상징한다.

7 곡谷: 계곡 곡.

[東醫寶鑑 外形篇 頭] 頭爲天谷以藏神

谷者 天谷也 神者 一身之元神也 天之谷含造化容虛空 地之谷容萬物載山川 人與天地
同所稟 亦有谷焉 其谷藏眞一宅元神 是以頭有九宮 上應九天 中間一宮 謂之泥丸 又
曰黃庭 又名崑崙 又謂天谷 其名頗多 乃元神所住之宮 其空如谷而神居之 故謂之谷神

[동의보감 외형편 머리] 머리는 천곡天谷이며 정신神을 간직한다.

계곡谷은 천곡天谷(머리에 있는 계곡)을 말하며, 정신神은 한 사람의 원신元神(원정신)
을 말한다. 하늘의 계곡은 조화를 품으니 허공이 담겨 있고, 땅의 계곡은 만물
을 수용하니 산하山河가 실려 있다. 사람도 천지天地와 부여받은 것이 같아서 역
시 계곡이 있고, 그 계곡에 진일眞一을 간직하니 원정신元神이 살고 있다.

이런 까닭으로 머리에는 구천 하늘에 응하는 구궁九宮이 있다. 구궁 중의 일궁을
니환泥丸이라 부르고, 또 황정黃庭이라 부르며 또 곤륜崑崙이라 칭하고 또 천곡天谷
이라 부르니, 그 이름이 매우 많지만 모두 원정신元神이 거주하는 궁宮이다. 그
공간이 마치 계곡谷과 같고 정신神이 거주하기 때문에 곡신谷神이라 부르는 것이
다.

8 허실생백虛室生白: 장자 인간세人間世에 나오는 글. '집을 비워 백白을 생한다'는 뜻.
여기서 집은 정신의 집이고, 백白은 깨달음의 빛이다.

[莊子] 瞻彼闋者 虛室生白 吉祥止止 夫且不止 是之謂坐馳

[장자] 눈앞을 비운 자를 보라, 집을 비워 白을 생하니 가장 좋은 것은 멈춰야
할 때 멈추는 것이다. 또한 멈추지 못하면 이를 좌치坐馳라 한다. (坐馳는 몸은 앉
아 있지만 상념이 멈추지 않고 달리는 것) (瞻은 觀照也 彼는 前境也 闋은 空也)

101

9 인온絪縕: 기운 인, 가득할 온. 인온氤氳과 같다. 음양상교陰陽相交를 뜻하는 단어로 원래는 천지 음양이 서로 만나 교류하는 것을 의미하였으나, 후에는 기운이 흩어지지 않고 한자리에 어리거나 한 공간에 가득한 것을 의미하게 되었다.

10 선천일기先天一氣: 선천일기가 바로 '하나'이며, 이것이 태허太虛이고 무극無極이다. 선천일기先天一氣가 분화하여 후천의 음양이기陰陽二氣가 되고, 후천의 음양이기를 통합하여 선천일기가 된다.

※ 관경觀經: 관무량수불경이다. 현세를 벗어나 불법으로 나아가는 수행을 16가지의 관법으로 설명하여 십육관경十六觀經이라고도 한다.

[佛說觀無量壽佛經] 時韋提希白佛言 世尊 如我今者 以佛力故見彼國土. 若佛滅後 諸衆生等 濁惡不善 五苦所逼 云何當見阿彌陁佛 極樂世界?

[불설관무량수불경] 위제희가 부처에게 아뢰기를, 세존이여 제가 지금은 부처의 힘을 입었기 때문에 저 땅을 볼 수 있습니다. 만약 부처께서 입멸하신 후에 모든 중생들은 정신이 탁하고 미워하며 선하지 못하고 인생의 오고五苦가 핍박하는 바 어찌하여야 아미타불을 보고 극락세계를 보나이까?

佛告韋提希 汝及衆生應當專心 繫念一處 想於西方. 云何作想? 凡作想者 一切衆生自非生盲 有目之徒 皆見日沒. 當起想念 正坐西向 諦觀於日 令心堅住 專想不移. 見日欲沒 狀如懸鼓. 旣見日已 閉目開目皆令明了. 是爲日想 名曰初觀. 作是觀者 名爲正觀. 若他觀者 名爲邪觀.

부처가 위제희에게 말하기를, 너와 중생들은 응당 전심전력으로 생각을 하나로 묶어 고정하고 서방 정토에 대해 상想해야 한다. 무엇이 상想하는 것인가? 무릇 상想한다는 것은 일체 중생이 처음부터 타고난 맹인이 아니면 눈이 있는 사람들이니 모두 일몰日沒을 볼 수 있다. 마땅히 그 상념을 일으켜 서쪽으로 정좌하고 해에 대해 살피는데, 마음을 굳건히 머물게 하여 상想이 옮겨가지 않도록 전념하라. 해가 가라앉는 모습이 큰 북과 같음을 보라. 해를 보는 것이 끝나면 눈을 감거나 눈을 뜨거나 모두 명료하게 하라. 이것이 해를 상想하는 것이니 관觀의 시작이다. 이렇게 관을 짓는 것이 정관正觀이며, 만일 다르게 관한다면 사관邪觀이다.

※ 지관의 선근발상善根發相: 좋은 수행을 가져오는 선한 뿌리를 선근善根이라 하고 선善한 뿌리로 인해 나타나는 수행 현상을 선근발상이라 한다.

지관을 이루는 수행 방식에 세 종류가 있으니, 계단을 오르듯 얕은 수행에서 깊은 수행으로 단계별로 차례차례 수행이 진행되어 점차 진리에 이르는 점차지관漸次止觀, 수행자의 여건에 따라 얕은 수행을 깊게 하거나 앞의 수행을 뒤에 하는 등 수행의 앞뒤가 정해지지 않고 자유롭게 펼쳐지는 부정지관不定止觀, 육체의 괴로움과 정신의 집착이 없고 자기와 부처와 중생의 구분이 없어 처음부터 중도中道를 수행하는 원돈지관圓頓止觀, 이 세 가지를 삼종지관三種止觀이라 한다.

回光活法[1] 第七
회광활법   제7

回光循循然行去 不要廢棄正業。
회광 순순 연행거 불요폐기정업

회광은 순서대로 차근차근 행하는 것이니, 정업正業[2]을 멈추거나 포기할 필요가 없다.

古人云 "事來要應過 物來要識過" 子以正念治事 卽光不爲物轉卽回 此時時無
고인운   사래요응과 물래요식과   자이정념치사 즉광불위물전즉회 차시시무
相之回光也可。
상 지 회 광 야 가

옛사람은 "일이 들어오면 응해서 보내고 물건이 들어오면 인식해서 보낸다"고 하였으니, 그대가 정념正念으로 일을 다스리면 광光이 사물을 운전하지 못하고 돌아가니 항상 무상無相[3]의 회광이 가능하다.

日用間能刻刻隨事返照 不著一毫人我相[4] 便是隨地回光 此第一妙用。
일 용 간 능 각 각 수 사 반 조 부 저 일 호 인 아 상   변 시 수 지 회 광 차 제 일 묘 용

일상 속에서 시시각각 반조返照[5]할 수 있다면 나와 남을 구분하는 마음이 조금도 일어나지 않으니, 이것이 바로 어떠한 상황에서도 마음을 돌리는 수지회광隨地回光이며 이것이 제일가는 묘용이다.

淸晨 能遣盡諸緣 靜坐一二時 最妙。
청 진 능 견 진 제 연　정 좌 일 이 시　최 묘

새벽에 깨어 모든 인연을 다 내려놓고 한두 시간 정좌할 수 있다면 최고로 훌륭하다.

凡應事接物 只用返身法 便無一刻間斷。
범 응 사 접 물　지 용 반 신 법　변 무 일 각 간 단

세상 일을 만나고 외불과 섭하는 모든 경우에 오직 자신을 되돌리는 방법민 사용하니 잠시 잠깐의 끊어짐도 없다.

如此行之三月兩月 天上諸眞必來印證矣。
여 차 행 지 삼 월 양 월　천 상 제 진 필 래 인 증 의

이와 같이 몇 달을 수행하면 천상의 진인들이 반드시 찾아와 증명하고 인가한다.

1 회광활법回光活法: 회광으로 일상생활하는 법.

2 정업正業: ①일상적인 생활. ②정당한 직업이나 생업.

3 무상無相: 고정된 형상이 없는 것. 유상有相의 반대말.

4 인아상人我相: 인아지상人我之相. 인人과 아我가 따로 있다고 생각하여 이를 구분하고 집착하는 마음. ①나와 남이 다르다고 생각하여 나와 남을 구분하는 有에 집착하는 마음. ②나와 본체가 다르고 나와 본체가 따로 있다고 생각하는 無에 집착하는 마음.

5 반조返照: 되돌릴 반, 비출 조. ①저녁 무렵에 해가 서쪽으로 넘어 갈 때 동쪽을 되비치는 현상. ②세속에 끌려다니는 정신을 되돌려 자기 자신을 비추는 것.

逍遙訣 第八
소요결 제8

逍遙訣第八

呂帝曰回光循循然行去不要廢棄正業古人云事來要應[　]
物來要識過子以正念治事卽光不為物轉卽回此時時無相
之回光也可
日用間能刻刻返照不著一毫人我相便是隨地回光此
第一妙用淸晨能逍盡諸緣靜坐一二時最妙凡應事接物只
用返身法便無一刻間斷如此行之三月兩月天上諸眞必來
印證矣

逍遙訣第八

呂帝曰玉淸留下逍遙訣四字凝神入氣穴六月俄看白雪飛
三更又見日輪赫赫水中吹起籍巽風天上遊歸食坤德更有一

句玄中玄無何有鄉是眞宅律詩一首玄與已盡大道之要不
外無為而為四字惟無為故不滯方所形象惟無為而為故不
墮頑空死虛作用不外一中而樞機全在二目二目者斗柄也
斡旋造化轉運陰陽其大藥則始終一水中金（卽水中鉛）而已前言
回光乃為指點初機從外以制內卽輔以得主此為中下之士修
下二關以透上一關者也今頭路漸明機括漸熟天不愛道直
泄無上宗旨諸子祕之勉之勉之夫回光其總名耳工夫
進一層則光華盛一番妙一番前者由外制內今則居
中御外前者卽輔相主今則奉主宣猷面目一大顚倒矣法二
欲入靜先調攝身心自在安和放下萬緣一絲不掛天心正位

金華宗旨　　　室集二

107

玉淸留下逍遙訣　四字凝神入氣穴。　六月俄看白雪飛　三更又見日輪赫。
옥 청 류 하 소 요 결　사 자 응 신 입 기 혈　유 월 아 간 백 설 비　삼 경 우 견 일 륜 혁

水中吹起藉巽風　天上遊歸食坤德。　更有一句玄中玄　無何有鄉是眞宅。
수 중 취 기 자 손 풍　천 상 유 귀 식 곤 덕　갱 유 일 구 현 중 현　무 하 유 향 시 진 택

옥청 하늘에서 소요결[1]을 내렸으니

무위이위 네 글자로 정신을 모으고 기혈에 든다.

한여름 6월에 흰 눈이 날리는 것을 보고

야반삼경에도 이글거리는 태양을 본다.

물속[2]에서 호흡하고 따뜻한 손풍巽風을 불러일으키며

하늘에 올라 유영遊泳[3]하고 돌아와 곤덕坤德을 먹는다.

한 구절이 더 있어 현중玄中의 현玄이니

아무것도 없는 무하유지향無何有之鄉[4]이 진정한 집이다.

律詩一首　玄奧已盡。
율 시 일 수　현 오 이 진

大道之要　不外"無爲而爲"四字。
대 도 지 요　불 외 무 위 이 위　사 자

惟無爲　故不滯方所形象　惟無爲而爲　故不墮頑空死虛。
유 무 위　고 불 체 방 소 형 상　유 무 위 이 위　고 불 타 완 공 사 허

作用不外一中　而樞機全在二目。　二目者　斗柄也　斡旋造化　轉運陰陽。
작 용 불 외 일 중　이 추 기 전 재 이 목　이 목 자　두 병 야　알 선 조 화　전 운 음 양

其大藥則始終一　水中金而已。
기 대 약 즉 시 종 일　수 중 금 이 이

율시 한 수로 현묘玄妙를 끝내 버렸다.

대도의 요결은 오직 '무위이위無爲而爲[5]' 네 글자 밖에 없다.

오로지 위爲가 없기 때문에 어느 곳 어떤 형상에도 걸리지 않고, 오로지 무위無爲로 수행하기 때문에 완공頑空과 사허死虛[6]에 빠지지 않는다.

작용은 하나의 중中 밖에 없고, 핵심 기전은 모두 두 눈에 있다. 두 눈이 조종간[7]이며 조화를 알선하고 음양을 운전한다.

단_丹에서 말하는 대약_{大藥}이란 처음부터 끝까지 하나이니, 수중금_{水中金}일 뿐이다.

前言回光 乃指點初機 從外以制內 卽輔以得主。此爲中下之士修下二關 以透
전 언 회 광 내 지 점 초 기 종 외 이 제 내 즉 보 이 득 주 차 위 중 하 지 사 수 하 이 관 이 투
上一關者也。
상 일 관 자 야

앞에서 말한 회광_{回光}은 다만 초기 수행의 지침으로, 외부로 시작하여 내면을 제어하는 것이며 곧 도움을 받아 주인이 되는 것이다. 이는 중하_{中下}의 인사가 아래의 이관_{二關}을 수련하여 위의 일관_{一關}을 뚫는 것이다.

今頭路漸明 機括漸熟 天不愛道 直泄無上宗旨。
금 두 로 점 명 기 괄 점 숙 천 불 애 도 직 설 무 상 종 지
諸子祕之祕之 勉之勉之。
제 자 비 지 비 지 면 지 면 지

이제 두뇌가 더 총명해지고 수행 기전이 더 성숙하였으니, 하늘이 도_道를 아끼지 않고 최고의 종지_{宗旨}를 직접 내리겠다.
그대들은 자중하고 자중하며[8] 노력하고 노력하라.

夫回光其總名耳。
부 회 광 기 총 명 이
工夫進一層 則光華盛一番 回法更妙一番。
공 부 진 일 층 즉 광 화 성 일 번 회 법 갱 묘 일 번
前者由外制內 今則居中御外 前者卽輔相主 今則奉主宣猷 面目一大顛倒矣。
전 자 유 외 제 내 금 즉 거 중 어 외 전 자 즉 보 상 주 금 즉 봉 주 선 유 면 목 일 대 전 도 의

크게 보면 회광_{回光}은 총괄하는 명칭일 뿐이다.
공부가 한 단계 나아가면 정신의 광화는 한층 더 왕성하고 정신을 되돌리는

방법도 한층 더 오묘하다.

앞에서 말한 것이 외부를 빌미로 내면을 제어하는 것이라면 이제는 중中에 머물며 외부를 다스리는 것이고, 앞에서 말한 것이 도움을 받는 주인이라면 이제는 주인이 직접 도리를 펼치니 모습이 크게 뒤바뀌는 것이다.

法子 欲入靜 先調攝身心 自在安和 放下萬緣 一絲不掛 天心正位乎中。 然後
법자 욕입정 선조섭신심 자재안화 방하만연 일사불괘 천심정위호중 연후
兩目垂簾 內照坎宮 光華所到 眞陽卽出以應之。
양목수렴 내조감궁 광화소도 진양즉출이응지

수행자가 고요에 들기 위해서는 먼저 몸과 마음을 조섭하여 심신心身을 편안하게 하고, 모든 인연을 내려놓아 마음에 한 올의 걸림도 없어야 천심天心이 중中에 바르게 자리한다. 그 후에 두 눈으로 발을 내리고 내면의 감궁坎宮[9]을 비추니 정신의 광화가 도달하는 바에 응하여 진양眞陽이 출현한다.

離 外陽而內陰 乾體也 一陰入內而爲主。 隨物生心 順出流轉。
리 외양이내음 건체야 일음입내이위주 수물생심 순출류전
今回光內照 不隨物生 陰氣卽住 而光華注照 則純陽也。 同類必親 故坎陽上
금회광내조 불수물생 음기즉주 이광화주조 즉순양야 동류필친 고감양상
騰。 非坎陽也 仍是乾陽應乾陽耳。
등 비감양야 잉시건양응건양이

이(離, ☲)[10]는 겉은 양(陽, 一)이고 속은 음(陰, --)이며 건(乾, ☰)이 본체이나, 하나의 음이 안으로 들어가 주축이 된 것이다. 외물外物을 추종하는 마음을 만들고 눈은 밖을 향하며 출세에 순응하여 세상을 떠돌게 한다.

이제 밖으로 향하는 광光을 돌려 내면을 비추면 외물을 추종하는 마음이 일지 않고 음기陰氣는 멈추니, 정신의 광화를 모아 내면을 비추는 순수한 양陽이다. 같은 종류는 서로 가까워지기 마련이니 감(坎, ☵) 속의 양陽이 위로 올라온다. 감坎이 양陽은 아니지만 감 속의 양이 순수한 양에 응하는 것이다.

二物一遇 便紐結不散 絪縕活動 倏來倏往 倏浮倏沈。 自己元宮中 恍如太虛
이 물 일 우 　 변 뉴 결 불 산 　 인 온 활 동 　 숙 래 숙 왕 　 숙 부 숙 침 　 　 자 기 원 궁 중 　 황 여 태 허

無量 徧身輕妙欲騰 所謂 "雲滿千山" 也。
무 량 　 편 신 경 묘 욕 등 　 소 위 　 운 만 천 산 　 야

次則來往無踪 浮沈無辨 脈住氣停 此則眞交媾矣 所謂 "月涵萬水" 也。
차 즉 래 왕 무 종 　 부 침 무 변 　 맥 주 기 정 　 차 즉 진 교 구 의 　 소 위 　 월 함 만 수 　 야

俟其杳冥中 忽然天心一動 此則一陽來復 "活子時" 也。 然而此中消息要細說。
사 기 묘 명 중 　 홀 연 천 심 일 동 　 차 즉 일 양 래 복 　 활 자 시 　 야 　 연 이 차 중 소 식 요 세 설

두 물건이 하나로 만나면 바로 맺어져 흩어지지 않고 기운으로 가득 차 활
발하게 움직이며, 갑자기 왔다 갑자기 나가고 갑자기 떠올랐다 갑자기 가라
앉는다. 자기 원궁元宮(정신)[11] 안이 태허太虛처럼 무한하게 느껴지며 온몸은
가볍고 오묘하여 날아오를 듯하니 소위 말하는 '운만천산雲滿千山'이다.
다음으로 오고 가는 흔적이 사라지고, 떠오르고 가라앉는 구분이 없어지며,
맥은 멈추고 숨氣이 정지하니, 이것이 진정한 교구交媾[12]이며 흔히 말하는
'월함만수月涵萬水'이다.
그 아득한 어둠 속에서 기다리면 홀연 천심天心과 하나로 움직이고, 이렇게
일양一陽을 회복하니 소위 말하는 '활자시活子時[13]'이다. 그러나 저 이면의 소
식은 자세한 설명이 필요하다.

凡人一視一聽 耳目逐物而動 物去則已。 此之動靜 全是民庶 而天君反隨之
범 인 일 시 일 청 　 이 목 축 물 이 동 　 물 거 즉 이 　 차 지 동 정 　 전 시 민 서 　 이 천 군 반 수 지

役 是常與鬼居矣。 今則一動一靜 皆與人居。
역 　 시 상 여 귀 거 의 　 금 즉 일 동 일 정 　 개 여 인 거

天君乃眞人也。 彼動卽與之俱動 動則 "天根" 靜卽與之俱靜 靜則 "月窟"。 動
천 군 내 진 인 야 　 피 동 즉 여 지 구 동 　 동 즉 　 천 근 　 정 즉 여 지 구 정 　 정 즉 　 월 굴 　 　 동

靜無端 亦與之爲動靜無端 休息上下 亦與之爲休息上下 所謂 "天根月窟閒來
정 무 단 　 역 여 지 위 동 정 무 단 　 휴 식 상 하 　 역 여 지 위 휴 식 상 하 　 소 위 　 천 근 월 굴 간 래

往" 也。
왕 　 야

모든 사람이 한 번 보고 한 번 들을 때마다 눈과 귀가 사물을 따라 끌려가고 사물이 사라져야 끝이 난다. 이것이 보통 사람의 일상이며 마음天君이 도리어 끌려가는 형세이니, 이는 항상 귀신과 함께 살아온 것이다. 이제는 하나로 동動하고 하나로 정靜하며 모든 일상이 사람들과 함께 한다.

천군天君[14]이 곧 진정한 사람眞人이다. 그가 움직이면 즉시 함께 움직이니 이 활동은 '천근天根'이며, 고요하면 바로 함께 고요하니 이 멈춤은 '월굴月窟'이다. 동정動靜이 끝이 없으면 또 함께 끝없이 동정하고, 상하上下로 휴식하면 또 함께 상하로 휴식하니 이것이 소위 말하는 '천근天根과 월굴月窟 사이의 왕래'이다.

天心鎭靜　動違其時　則失之嫩　天心已動　而後動以應之　則失之老。
천심진정　동위기시　즉실지눈　천심이동　이후동이응지　즉실지노
天心一動　卽以眞意上升乾宮　而神光視頂爲導引焉。　此動而應時者也。
천심일동　즉이진의상승건궁　이신광시정위도인언　차동이응시자야

천심天心은 진정하는데 움직여서 때를 거스르면 미숙하여 실기하는 것이고 천심이 이미 움직였는데 뒤에 움직여 응하면 노회하여 실기하는 것이다.
천심과 하나로 움직이면 진의眞意가 건궁乾宮에 오르기 시작하고, 신광神光으로 [건궁의] 정점을 보고 도인導引할 수 있다. 이러한 움직임이 때에 응하는 것이다.

天心旣升乾頂　游揚自得　忽而欲寂　急以眞意引入黃庭　而目光視中黃神室焉。
천심기승건정　유양자득　홀이욕적　급이진의인입황정　이목광시중황신실언

천심과 이미 건궁의 정점에 올라 유영하며 스스로 터득하고 홀연 적寂하려 하면 급히 진의眞意를 황정黃庭[15]에 들도록 이끌고, 목광目光으로 중황中黃[16]을 보니 신실神室이다.

既而欲寂者 一念不生矣 視內者 忽忘其視矣。
기 이 욕 적 자　일 념 불 생 의　시 내 자　홀 망 기 시 의

爾時身心便當一塲大放 萬緣泯迹 卽我之神室爐鼎 亦不知在何所。欲覓己身
이 시 신 심 변 당 일 장 대 방　만 연 민 적　즉 아 지 신 실 로 정　역 부 지 재 하 소　욕 멱 기 신

了不可得。
료 불 가 득

此爲天入地中 衆妙歸根之時也。卽此便是"凝神入氣穴"。
차 위 천 입 지 중　중 묘 귀 근 지 시 야　즉 차 변 시　응 신 입 기 혈

이윽고 적寂하려는 자는 하나의 상념도 생기지 않고, [목광目光으로] 내면을 보는 자는 그 시각이 홀연 사라진다.

이때에 몸과 마음은 당연히 한바탕 크게 내려놓고 모든 인연이 흔적까지 사라진다. 곧 내가 신실神室에서 연단하는 화로와 솥[17]이 어디에 있는지도 모르게 된다. 나[18]를 찾으려 하여도 찾을 수 없다.

이것이 하늘이 땅속으로 들어가고, 오묘한 도리들이 뿌리로 돌아가는 시간이다. 이것이 바로 정신을 모으고 기혈로 들어가는 응신입기혈凝神入氣穴[19]이다.

夫一回光也 始而散者欲斂 六用不行。此爲"涵養本源 添油接命"也。
부 일 회 광 야　시 이 산 자 욕 렴　육 용 불 행　차 위　함 양 본 원　첨 유 접 명　야

旣而斂者自然優游 不費纖毫之力。此爲"安神祖竅 翕聚先天"也。
기 이 렴 자 자 연 우 유　불 비 섬 호 지 력　차 위　안 신 조 규　흡 취 선 천　야

旣而影響俱滅 寂然大定 此爲"蟄藏氣穴 衆妙歸根"也。
기 이 영 향 구 멸　적 연 대 정　차 위　칩 장 기 혈　중 묘 귀 근　야

대체로 하나의 회광回光은 처음에는 흩어진 것을 수렴하기 위해 [밖으로 향하는] 육근六根의 작용을 막는다. 이것이 본원을 함양하고 기름을 부어 생명을 이어가는 '함양본원涵養本源 첨유접명添油接命'이다.

이윽고 수렴한 자는 자연스럽게 내면을 유영하며 터럭만큼의 힘도 소비하지 않는다. 이것은 조규에 정신을 집중하고 선천을 흡취하는 '안신조규安神祖竅 흡취선천翕聚先天'이다.

이윽고 그림자와 울림의 세계가 모두 사라지고 적연寂然한 대정大定을 이루면, 이것이 기혈로 칩장하고 오묘한 도리들이 뿌리로 돌아가는 '칩장기혈蟄藏氣穴 중묘귀근衆妙歸根'이다.

一節中具有三節　一節中且有九節　且俟後日發揮。今以一節中具三節言之　當
일 절 중 구 유 삼 절　일 절 중 차 유 구 절　차 사 후 일 발 휘　금 이 일 절 중 구 삼 절 언 지　당

其涵養而初靜也　翕聚亦爲涵養　蟄藏亦爲涵養　至後而涵養皆蟄藏矣。
기 함 양 이 초 정 야　흡 취 역 위 함 양　칩 장 역 위 함 양　지 후 이 함 양 개 칩 장 의

中一層可類推　不易處而處分焉。此爲"無形之竅"　千處萬處一處也。不易時而
중 일 층 가 류 추　불 역 처 이 처 분 언　차 위 무 형 지 규　천 처 만 처 일 처 야　불 역 시 이

時分焉　此爲"無候之時"　元會運世一刻也。
시 분 언　차 위 무 후 지 시　원 회 운 세 일 각 야

수행의 한 마디 안에 함양涵養 흡취翕聚 칩장蟄藏[20]의 세 마디가 있고 또 수행의 한 마디 안에 아홉 마디가 있는 것도 있으니, 이는 추후 발휘되기를 기대한다. 지금은 한 마디 안에 세 마디가 있는 것을 말하자면 함양은 당연히 초기 수행의 고요이며, 이때는 흡취도 함양이 되고, 칩장도 함양이 되며 수행이 뒤에 가서는 함양, 흡취가 모두 칩장이 된다.
그 중간 과정도 유추할 수 있으니 처處를 바꾸지 않아도 처處가 나뉘어진다. 이것이 무형지규無形之竅이며, 천처千處 만처萬處가 모두 하나의 처一處이다. 때를 바꾸지 않아도 때가 나뉘어지니 이것이 무후지시無候之時이며, 원회운세元會運世가 모두 하나의 시간이다.

凡心非靜極　則不能動。動動妄動　非本體之動也。故曰感於物而動　性之欲也
범 심 비 정 극　즉 불 능 동　동 동 망 동　비 본 체 지 동 야　고 왈 감 어 물 이 동　성 지 욕 야

若不感於物而動　卽天之動也。
약 불 감 어 물 이 동　즉 천 지 동 야

不以天之動對"天之性"句　落下說箇"欲"字　欲在有物也。此爲出位之思　動而有
불 이 천 지 동 대　천 지 성 구　낙 하 설 개 욕 자　욕 재 유 물 야　차 위 출 위 지 사　동 이 유

動矣。
동 의

대체로 마음은 고요가 지극하지 않으면 움직이지 않는 것이다. 끌려서 움직이는 것은 망동妄動이며 본체의 움직임이 아니다. 그러므로 예기禮記에서 사물에 감응해 마음이 움직이는 것을 '성지욕性之欲[21]'이라 하였으니, 만약 사물에 감응하지 않고 마음이 움직인다면 하늘이 움직이는 것이다.
천지동天之動의 대구로 '천지성天之性'이 아니라 동떨어진 별개의 글자 '욕欲[22]'으로 설명하는 것은 욕欲이 물질에 있기 때문이다. 이것이 제자리를 벗어난 생각이며 마음이 끌리는 데로 움직이는 것이다.

一念不起　則正念乃生　此爲眞意。
일 념 불 기　즉 정 념 내 생　차 위 진 의
寂然入定中　而天機忽動　非無意之意乎?
적 연 대 정 중　이 천 기 홀 동　비 무 의 지 의 호
無爲而爲　卽此意。
무 위 지 위　즉 차 의

하나의 상념도 일어나지 않아야 정념正念이 비로소 생하니 이것이 참된 마음의 소리, 진의眞意[23]이다.
적연寂然 대정大定 하는 중에 천기天機[24]가 홀연 움직이는 것이니, 의식의 마음이 사라진 마음의 소리 아니겠는가?
무위이위無爲而爲가 바로 이러한 뜻이로다.

詩首二句　全括金華作用。
시 수 이 구　전 괄 금 화 작 용
次二句是日月互體意。
차 이 구 시 일 월 호 체 의

六月卽離火也 白雪飛卽離中眞陰 將返乎坤也。三更卽坎水也 日輪卽坎中一
유월즉리화야 백설비즉리중진음 장반호곤야　삼경즉감수야　일륜즉감중일

陽 將赫然而返乎乾也。取坎塡離 卽在此中。
양　장혁연이반호건야　취감전리　즉재차중

앞의 율시에서 첫 두 구절은 금화金華 작용 전체의 개괄이다.

다음 두 구절은 일월日月이 서로의 본체가 된다는 뜻이다.

'6월'은 이화(離火, ☲)를 말하고, '흰 눈이 날린다'는 것은 이화(☲) 속의 진음眞
陰이 장차 곤(坤, ☷)으로 돌아가는 것을 의미한다. '야반삼경'은 감수(坎水, ☵)이
고 삼경에 보는 '태양'은 감수(☵) 속의 일양一陽을 뜻하니, 장차 혁혁한 빛을
내고 건(乾, ☰)으로 돌아가는 것이다. 감(坎, ☵)을 가져다 이(離, ☲)를 채우는 이
치가 저 속에 있다.

次二句 說斗柄作用 升降全機。
차이구 설두병작용 승강전기

水中非坎乎？ 目爲巽風 目光照入坎宮 攝召太陽之精是也。天上卽乾宮 遊歸
수중비감호　목위손풍 목광조입감궁 섭소태양지정시야　천상즉건궁 유귀

食坤德 卽神入氣中 天入地中 養火也。
식곤덕 즉신입기중 천입지중 양화야

다음 두 구절은 수행을 조종하는 방법으로 오르고 내리는 완전한 기전을 설
명한다.

'물속'이 바로 감수坎水 아니겠는가? 눈이 '손풍巽風'이고, 목광目光으로 감궁
坎宮을 비추고 들어가는 것이 태양의 정精을 불러오는 것이다. '하늘'은 건궁
乾宮을 의미하고, '돌아와 먹는 곤덕坤德[25]'이란 하늘을 유영하고 돌아온 정신
이 기氣 속으로 들어가는 것이며, 하늘이 땅속으로 들어가는 것이고, 물속에
서 불(眞火)을 기르는 양화養火이다.

末二句是指出訣中之訣。
말이구시지출결중지결

訣中之訣　始終離不得　所謂"洗心滌慮爲沐浴"也。
결중지결　시종리부득　소위　세심척려위목욕　야

마지막 두 구절은 비결 중의 비결을 가리키고 있다.

비결 중의 비결은 처음부터 끝까지 떨어지면 안되는 것이니, 소위 말하는 마음을 씻고 생각을 청소하는 '목욕沐浴'이다.

聖學以"知止"始　以"止至善"終　始乎無極　歸乎無極。佛以"無住而生心"爲一大
성학이 지지 시　이 지지선 종 시호무극 귀호무극　불이 무주이생심　위일대
藏敎旨　吾道以"致虛"二字　完性命全功。
장교지　오도이 치허 이자　완성명전공
總之三敎不過一句　爲出死護生之神丹。
총지삼교불과일구　위출사호생지신단

성인의 학문이 멈춤止을 아는 것으로 시작하여 지극한 선善에 머무는 것으로 끝나니, 시작도 무극이오 끝도 무극이다. 불가는 무주생심無住生心[26]을 가장 큰 가르침으로 삼고, 우리 도道는 치허致虛로 성명性命을 완수하고 공부를 이룬다.

삼교三敎의 가르침을 종합하면 한 구절에 불과하니 죽음을 벗어나고 생을 보호하는 '신단神丹'이다.

神丹維何？ 曰一切處無心而已。
신단유하　왈 일체처무심이이
吾道最祕者　沐浴　如此一部全功　不過心空二字　足以了之。
오도최비자 목욕　여차일부전공　불과심공이자 족이료지

신단神丹, 정신의 단丹이 무엇인가? 불가에서 말하는 일체처무심一切處無心이다.

우리 도道 최고의 비밀은 정신의 '목욕'이고 이 부분이 공부를 완전하게 만드니, 심공心空은 두 글자에 불과하나 이것이 충족되면 공부가 끝나버린다.

今一言指破 省卻數十年參訪矣。
금 일 언 지 파   성 각 수 십 년 참 방 의

지금 여기서 한마디 말로 가르침을 깨주었으니 그대가 걸어야 할 수십 년의
참구 시간을 단축해 주었도다.

子輩不明一節中具三節 我以佛家"空假中"三觀爲喻。
자 배 불 명 일 절 중 구 삼 절   아 이 불 가   공 가 중   삼 관 위 유

그대들이 공법의 한 마디 안에 세 마디가 있는 것을 명확하게 이해하지 못
하니 불가의 공가중空假中 삼관三觀으로 비유하여 설명하겠다.

三觀先"空" 看一切物皆空。次"假" 雖知其空 然不毁萬物 仍於空中建立一切
삼 관 선 공   간 일 체 물 개 공   차 가   수 지 기 공 연 불 훼 만 물 잉 어 공 중 건 립 일 체
事。旣不毁萬物 而又不著萬物 此爲"中觀"。
사   기 불 훼 만 물   이 우 부 저 만 물   차 위   중 관

삼관은 먼저 '빌 공空'으로 일체의 물건을 모두 공空으로 본다. 다음은 '거짓
가假'로 비록 일체가 비어있음을 알았으나, 만물을 허물지 못하고 오히려 공
空 속에서 일체의 일이 확립된다. 이미 만물을 허물지 않고 또 만물에 집착
하지 않으면 이것이 '중관中觀'이다.

當其修空觀時 亦知萬物不可毁 而又不著 此兼三觀也。然畢竟以看得空爲得
당 기 수 공 관 시   역 지 만 물 불 가 훼   이 우 부 저   차 겸 삼 관 야   연 필 경 이 간 득 공 위 득
力。故修空觀 則空固空 假亦空 中亦空。
력   고 수 공 관   즉 공 고 공   가 역 공   중 역 공
修假觀 是用上得力居多 則假固假 空亦假 中亦假。中道時亦作空想 然不名
수 가 관   시 용 상 득 력 거 다   즉 가 고 가   공 역 가   중 역 가   중 도 시 역 작 공 상   연 불 명
爲空 而名爲中矣 亦作假觀 然不名爲假 而名爲中矣。至於中 則不必言矣。
위 공   이 명 위 중 의   역 작 가 관   연 불 명 위 가   이 명 위 중 의   지 어 중   즉 불 필 언 의

당연히 공관空觀을 수련할 때에도 만물은 허물지 못하고 또 집착할 수 없음을 알게 되니, 이는 삼관三觀을 겸하는 것이다. 그러나 결국은 공空을 볼 수 있어야 득력得力이 된다. 그러므로 공관을 수련하면 공空은 공으로 굳건하고 가假도 공이고 중中도 공이다.

가관假觀의 수련은 대부분 작용에서 득력하는 것이니, 가관을 수련하면 가假는 가로 굳건하고 공도 가이고 중中도 가이다. 중도中道를 할 때에도 역시 공을 상想하나 공이라 부르지 않고 중中이라 칭하며, 또 가를 관觀하나 가라 부르지 않고 중이라 칭한다. 중中에 이르면 굳이 말할 필요가 없다.

吾雖有時單說離 有時兼說坎 究竟不曾移動一句。
오 수 유 시 단 설 리   유 시 겸 설 감   구 경 부 증 이 동 일 구
開口提云 樞機全在二目。所謂樞機者用也。用此斡旋造化 非言造化只此也。
개 구 제 운   추 기 전 재 이 목   소 위 추 기 자 용 야   용 차 알 선 조 화   비 언 조 화 지 차 야

내가 비록 때로는 단독으로 이화離火를 설명하고 때로는 감수坎水를 겸하여 설명하였으나 끝내 한 구절도 옮기거나 뜻을 바꾸지 않았다.

앞에서 제시하기를 핵심 기전이 모두 두 눈에 있다고 하였다. 소위 말하는 핵심 기전이 작용이다. 이를 활용하여 조화를 알선하라는 의미이며 조화의 기전이 이것뿐이라는 말이 아니다.

六根七竅 悉是光明藏 豈取二目而他繫不問乎?
육 근 칠 규   실 시 광 명 장   기 취 이 목 이 타 계 불 문 호
用坎陽 仍用離光照攝 卽此便明 日月原是一物。
용 감 양   잉 용 리 광 조 섭   즉 차 변 명   일 월 원 시 일 물

육근과 칠규가 모두 광명光明을 간직하고 있는데 어찌 두 눈만 말하고 다른 기관은 묻지 않겠는가?

감양坎陽을 사용하고 그대로 이광離光을 사용하여 비추고 통합하면 이것이 바로 명明이니, 일월日月은 원래 하나의 물건이다.

其日中之暗處 是眞月之精 月窟不在月而在日 所謂月之窟也。不然只言月足
기 일 중 지 암 처 시 진 월 지 정 월 굴 부 재 월 이 재 일 소 위 월 지 굴 야 불 연 지 언 월 족

矣。月中之白處 是眞日之光 日光反在月中 所謂天之根也 不然只言天足矣。
의 월 중 지 백 처 시 진 일 지 광 일 광 반 재 월 중 소 위 천 지 근 야 불 연 지 언 천 족 의

저 태양 가운데의 어두운 부분이 진정한 달의 정수이고, 달의 굴이 달에 있
지 않고 해에 있기에 월지굴月之窟이라 부르는 것이다. 그렇지 않다면 월月이
라는 말만으로 충분하다. 달 가운데의 흰 부분이 진정한 태양의 빛이고 태
양의 빛이 반대로 달 속에 있기에 천지근天之根이라 부르는 것이며, 그렇지
않다면 천天이라는 단어로 충분하다.

一日一月 分開止是半箇 合來方成一箇全體。如一夫一婦 獨居不成家室 有夫
일 일 일 월 분 개 지 시 반 개 합 래 방 성 일 개 전 체 여 일 부 일 부 독 거 불 성 가 실 유 부

有婦 方算得一家完全。然而物難喻道 夫婦分開 不失爲兩人 日月分開 不成
유 부 방 산 득 일 가 완 전 연 이 물 난 유 도 부 부 분 개 불 실 위 양 인 일 월 분 개 불 성

全體矣。
전 체 의

하나의 해와 하나의 달은 나누어 구분하면 각기 반 개에 그치고, 모아서 합
쳐야 비로소 하나로 전체를 이룬다. 하나의 남편과 하나의 부인이 따로 있
어서는 가정을 이루지 못하며 남편도 있고 부인도 있어야 비로소 일가一家
로 완전을 꾀할 수 있는 것과 같다. 그러나 사물을 도道에 비유하기는 어려
우니, 부부는 나누어 구분하여도 두 사람이 되어 잘못이 아니지만 일월日月
은 나누고 구분하면 전체를 이루지 못한다.

吾言只透露其相通處 所以不見有兩。子輩專執其隔處 所以隨處換卻眼睛。
오 언 지 투 로 기 상 통 처 소 이 불 견 유 양 자 배 전 집 기 격 처 소 이 수 처 환 각 안 정

나의 말은 오직 그들이 서로 연결된 부분을 드러내는 것이기 때문에 둘이
따로 있다고 보지 않는다. 그대들은 그들이 떨어져 있다는 부분에 잡혀 있

기 때문에 상황에 따라 시각이 바뀌는 것이다.

1 소요결逍遙訣: 노닐 소, 멀 요, 비결 결. 산책하듯 한가롭게 노니는 것을 소요逍遙라 하듯이 사회적인 구속을 벗어나 자유롭게 사고하는 비결을 소요결逍遙訣이라 한 것이다. 장자의 소요유逍遙遊와 같은 의미이다.

2 물속: 수중水中. 물속은 사람이 숨쉬지 못하는 곳이니 의식이 잠드는 곳을 상징한다. 불교의 대수大水, 도교의 감수坎水가 같은 의미이다. 감수가 바로 물이고 감수(坎,☵)의 중간에 있는 양효陽爻를 물속에 있는 양陽, 수중금水中金이라고 한다. 이것은 물속에서도 꺼지지 않는 정신을 상징한다. 그래서 이를 진양眞陽, 진화眞火라고 부르고 이를 키우는 것을 양화養火라고 한다.

3 유영遊泳: 놀 유, 헤엄칠 영. 물속을 헤엄치는 유영이다. 수행을 통해 내면을 헤엄치는 것이다.

4 무하유지향無何有之鄕: 장자의 무하유지향無何有之鄕으로 '아무것도 없는 곳'이라는 뜻이다. 곧 어떠한 소유도 없고 존재도 없는 마을이며, 어딘가에 있을 이상향이 아니라 정신을 비워 아무것도 없는 것을 의미한다.

5 무위이위無爲而爲: 위爲가 없는 것을 무위無爲라고 한다. 정신을 사로잡는 역동이 없으니 무위이고, 또 상념이 없는 무위 속에서 정신을 잃지 않고 수행하니 무위이위無爲而爲이다.

6 완공頑空, 사허死虛: 의미 없는 공空, 죽어 있는 허虛. 겉모습만 앉아 있는 수행을 경계하는 말이다. 겉으로는 명상의 자세를 하고 있으나 정신은 모이지 않고 흩어지는 것을 말한다. 많은 사람들이 명상이나 참선을 할 때 눈을 감으면 나타나는 깊은 어둠을 공空이라고 여기고, 정신을 놓고 멍하게 있는 것을 허虛라고 착각하는 것이다.

7 조종간: 두병斗柄. 말 두, 자루 병. 두병은 북두칠성에서 손잡이 부분에 있는 세 개의 별을 뜻하며 북두칠성을 운전하는 손잡이란 의미에서 '조종간'이라 해석하였다.

8 祕之祕之: 비지비지祕之祕之는 숨기고 숨으라는 뜻이다. 음기로 가득한 곳에서 처음으로 피어난 양기는 외롭고 연약하기 때문에 동류同類의 도움을 받더라도 스스로 성장할 많은 시간이 필요하다. 주변의 영향에 스러지지 않고 굳건하게 자리 잡을 때까지는 반드시 자중하고 자중해야 한다. 도道, 중中, 적寂, 조照와 같은 개념들이 무엇을 뜻하는지 알게 되기까지 많은 시간이 걸리니, 깊게 자중할 필요가 있다.

9 감궁坎宮: 수궁水宮, 수중水中, 내면세계.

10 이(離,☲): 팔괘의 하나로 화火를 상징하는 괘. 팔괘는 건(乾,☰) 태(兌,☱) 이(離,☲) 진(震,☳) 손(巽,☴) 감(坎,☵) 간(艮,☶) 곤(坤,☷)이다. 건괘(乾,☰)는 하늘을 상징하며, 오행의 금金에 해당하니 건금乾金이다. 곤괘(坤,☷)는 땅을 상징하며, 오행의 토土에 해당하니 곤토坤土이다. 건괘와 곤괘는 모든 괘의 중심이며 출발점이다. 감괘(坎,☵)는 달과 물을 상징하며, 오행의 수水에 해당하니 감수坎水라고 한다. 이괘(離,☲)는 해와 불을 상징하며 오행의 화火에 해당하니 이화離火라 한다. 각각의 괘는 효로 표현되는데 끊어지지 않은 선(―)은 양효陽爻, 끊어진 선(--)은 음효陰爻라고 한다.

11 원궁元宮 중궁中宮 건궁乾宮: 이 책에서 해석하기 힘들었던 부분이 궁宮과 중中이다. 단전이란 단어에 너무 익숙해 있어서 중궁中宮을 중단전으로 착각하고 원궁元宮은 하단전으로 생각하는 착각에 빠져 한동안 수련하기도 했다. 하지만 이 책에서 집은 정신의 집을 의미한다. 궁宮은 대궐 같은 집이고, 택宅 실室 등은 작은 규모의 집이다. 원궁元宮은 원신, 원정신의 궁이고, 신실神室은 정신이 작용하는 작은 집이며, 중궁은 중中에 있는 정신의 집이다.

12 진정한 교구交媾: 진교구眞交媾. 남녀의 성교처럼 음양이 결합하는 것을 교구交媾라 한다. 음과 양, 정신과 육체, 나와 본체로 분화되었던 것을 초월하여 하나로 합일하니 이를 진정한 결합, 진정한 교구라 한다.

13 활자시活子時: 어둠이 가장 깊은 자시子時에 살아난다는 의미이다. 일양래복一陽來復은 일양一陽을 회복하는 복괘復卦의 의미를 갖고 있다.

14 천군天君: 정신의 주인이라는 뜻이다. 순자의 천론天論에 능력이 각기 다른 오관(이목구비와 몸)을 다스리는 '마음'을 여러 신하를 다스리는 임금에 비유하여 천군이라 하였다. 여기서는 육근에 끌려가지 않고 오관을 통섭하는 마음, 본래 자리에 있는 마음을 천군天君이라 한다.

15 황정黃庭: 중심이 되는 구역을 황정이라 부른다.
[黃庭經] 黃者中央之色 庭者四方之中 外指事卽天中人中地中 內指事卽腦中心中脾中 故曰黃庭也
[황정경] 황黃은 중앙의 색이며 정庭은 사방의 중심이다. 밖에서는 천중天中 인중人中 지중地中을 가리키고, 안에서는 뇌중腦中 심중心中 비중脾中을 가리켜 황정黃庭이라 부른다.

16 중황中黃: 중황과 연중緣中은 같은 의미이다.

　　[太一金華宗旨] 以兩目諦觀鼻端 正身安坐 繫心緣中 道言中黃 佛言緣中 一也

　　[태일금화종지] 두 눈으로 코끝을 지그시 바라보고 몸을 바르게 정좌하여 연중
　　緣中에 마음을 묶으니, 도가에서 '중황中黃'이라 말하고 불가에서 '연중緣中'이라
　　하나 같은 것이다.

17 화로와 솥: 노정爐鼎. 화로 로, 솥 정. 내단內丹에서 화로는 마음, 솥은 몸을 상징
　　한다.

18 나: 여기서 나는 의식 속에 있는 나, 색신色身을 말한다.

19 입기혈入氣穴: 여기서 입入은 어떠한 상태를 이루거나 그 상태에 드는 것을 의미
　　한다. ①기혈氣穴은 정기精氣의 통로이니 기혈을 정신이 드나드는 통로로 해석한
　　다면, 입기혈入氣穴은 정신의 관문에 든다는 뜻이다. ②기氣를 육신이 살아 있도
　　록 생명을 유지하는 힘으로 본다면 입기혈은 생명의 기본 체계, 기氣를 인지하
　　는 단계에 들어서는 것을 뜻한다.

20 함양涵養: 정신력을 기르는 것.

　　흡취翕聚: 흩어진 정신을 모으고 합하는 것.

　　칩장蟄藏: 겨울에 모든 것이 땅속으로 들어가듯 외부 활동을 끊고 보이지 않는
　　깊은 곳으로 들어가는 것.

21 성지욕性之欲: 예기에 나오는 단어.

　　[禮記] 人生而靜 天之性也 感於物而動 性之欲也

　　[예기] 사람이 태어나 마음이 고요한 것은 하늘의 본성이고, 사물에 감응하여
　　마음이 움직이는 것은 본성이 욕欲이 된 것이다.

22 욕欲: 외물에 감응해 본래 자리를 벗어나는 마음.

23 의意와 진의眞意: 音(소리)과 心(마음)이 결합한 意라는 글자는 '마음의 소리'를 의미
　　한다. 마음의 소리를 의意와 진의眞意로 구분하는 이유는 우리가 평소에 듣는 마
　　음의 소리는 '의식의 소리'이기 때문이다. 진정한 마음은 의식의 소리에 묻혀
　　들리지 않거나 왜곡되기 때문에, 의식이 사라져야 들리는 순수한 마음을 진정한
　　마음의 소리, 진의眞意라고 표현한 것이다. 의意가 사라져야 진의眞意가 들리기 때
　　문에 무의無意를 수행하는 것이고 이것이 무위無爲의 뜻이다.

24 천기天機: ①하늘로부터 타고난 정신적 육체적 기전을 의미한다. ②금화종지에서
　　하늘은 두뇌 활동을 말하는 경우가 많기 때문에 천기天機는 정신적인 기전을 의
　　미한다고 볼 수 있다.

25 곤덕坤德: 땅 곤, 능력 덕. 여기서 덕德은 '능력', '작용'의 의미이다. 대지가 만물을 생장시키는 곤坤의 작용을 곤덕坤德이라 한다.

26 무주이생심無住而生心: 금강경에 나오는 應無所住而生其心의 줄임말이다.

　[金剛經] 不應住色生心 不應住聲香味觸法生心 應無所住而生其心

　[금강경] 응당 색色에 머무는 마음을 생生하지 말고, 성향미촉법聲香味觸法에 머무는 마음도 생하지 말며, 응당 머무는 바 없는 마음을 생하라.

※ 공가중空假中 삼관三觀: 삼관은 진리의 세계인 '공空', 거짓의 세계인 '가假', 비유비공非有非空의 세계인 '중中'이다. 천태종의 지의智顗가 처음으로 주장한 교리이다. 이 삼관은 모든 법이 중도中道에 있음을 밝히고, 공가중空假中이 서로 통하는 것임을 밝힌 것이다. 공관空觀은 세상이 공空인 것을 보는 것이고, 가관假觀은 거짓된 세상이 유형有形하게 존재하는 것을 보는 것이다. 중관中觀은 공과 가를 모두 긍정할 때 진정한 공을 깨닫게 되고 이것을 중도中道라고 한다.

대부분의 사람은 거짓익 세상인 세속에 살고 있지민, 이 세계가 무상하고 괴롭고 부자유한 곳임을 긍정하고 그 본질을 파헤쳐 공空을 깨닫고, 다시 거짓의 세상으로 나올 때 중도中道가 있는 것이다. 즉, 가에서 공으로 진입한 뒤 다시 이 세속으로 나와야 중도가 있다는 것이 공가중 삼관의 의미이다.

※ 무위無爲: 위爲를 덜어내고 또 덜어내어 무無에 이르는 것이다.

[道德經] 爲學者日益 爲道者日損 損之或損 以至無爲也 無爲而無不爲

[도덕경] 학문을 닦는 자는 나날이 더하고, 도를 닦는 자는 나날이 덜어낸다. 덜어내고 또 덜어내어 무위無爲에 이르니 무위無爲로 닦지 못할 것이 없다.

갑골문에서 보면 위爲라는 글자는 사람의 손과 코끼리가 같이 그려져 있어 사람이 코끼리를 조련시킨다는 뜻이었다. 그래서 위爲의 본래 의미는 '길들이다'였고, 이후에 코끼리를 길들이는 것이 무언가를 하게 시킨다는 의미가 되면서 '~을 하다'라는 '행위'의 뜻을 갖게 된 것이다. 우리가 하는 행위나 사고의 대부분이 길들여져서 하는 행위라는 입장에서 노자와 장자는 길들여진 사고가 없는 무위無爲를 주장한 것이다.

百日立基　第九
백일입기　제9

透露其相通處所以不見有兩子輩專執其隔處所以隨處換

卻眼睛

百日立基第九

呂帝曰心印經云回風混合百日功靈蟄之立基百日方有眞
光如子輩向是目光非神火也非性光也非慧智炬燭也回之
百日則精氣自足眞陽自生水中自有眞火以此持行自然交
媾自然結胎吾方在不識不知之天而嬰兒以成矣若畧作意
見便是外道
百日立基非百日也一日立基非一日也一息立基非呼吸之
謂也息者自心也自心爲息元神也元氣也元精也升降離合

《心印經》云 “囙風混合 百日功靈” 總之立基百日 方有眞光。
심인경 운 　회풍혼합　 백일공령　 총지입기백일　 방유진광

如子輩尙是目光 非神火也 非性光也 非慧智炬燭也 回之百日 則精氣自足 眞
여자배상시목광 비신화야 비성광야 비혜지거촉야 회지백일 즉정기자족 진

陽自生。水中自有眞火 以此持行 自然交媾 自然結胎。吾方在不識不知之天
양자생　 수중자유진화 이차지행 자연교구 자연결태　 오방재불식부지지천

而嬰兒以成矣。若略作意見 便是外道。
이 영아이성의　 약략작의견 변시외도

심인경에 이르기를 “바람을 되돌리고 혼합하는 데에 백일의 공령이 든다.”
하였으니, 기초를 세우는 백일이 있어야 비로소 진광眞光을 볼 수 있다.

그대들의 목광目光이 아직은 신화神火가 아니고 성광性光도 아니고 지혜가 횃
불처럼 타오르지 않지만, 백일로 이를 돌리면 정기精氣가 저절로 채워지고
진양眞陽이 자연히 생겨난다. 물속에서 진화眞火가 자연스럽게 나타나니 이를
꾸준히 수행하면 자연히 교구하고 자연히 태胎[1]를 맺는다. 나에 식識노 아
니고 지知도 아닌 하늘이 존재하게 되고, 이로써 영아嬰兒[2]를 이룬다. 만약
이 과정을 거치지 않고 줄여갈 생각이라면 그것이 바로 외도外道이다.

百日立基 非百日也。一日立基 非一日也 一息立基 非呼吸之謂也。
백일입기 비백일야　 일일입기 비일일야　 일식입기 비호흡지위야

息者自心也 自心爲息 元神也 元氣也 元精也 升降離合悉從心起 有無虛
식자자심야 자심위식 원신야 원기야 원정야 승강이합실종심기 유무허

實 咸在念中。
실　 함재염중

一息一生持 何止百日? 然百日亦一息也。
일식일생지 하지백일　 연백일역일식야

백일로 기초를 세우는 백일입기百日立基는 숫자로 백 일이 아니다. 일일입기
一日立基도 하루가 아니며, 하나의 숨으로 기초를 세우는 일식입기一息立基도
단순히 호흡을 말하는 것이 아니다.
호흡이 마음에서 시작되는 것이며, 본래의 마음이 숨息이고 원신元神이며 원

기元氣이고 원정元精이니, 오르내림과 이합집산이 모두 마음에서 일어나고 유무有無 허실虛實이 모두 상념 속에 있다.

하나의 숨으로 일생을 지속하였으니 어찌 백 일로 멈추겠는가? 그러나 백일 역시 하나의 숨이다.

百日只在得力。晝中得力 夜中受用 夜中得力 晝中受用。
백 일 지 재 득 력　주 중 득 력　야 중 수 용　야 중 득 력　주 중 수 용

백 일이란 기간은 다만 득력得力[3]에 달려 있다. 낮에 득력하면 밤에 받아들여 사용하고 밤에 득력하면 낮에 받아들여 사용한다.

百日立基 玉旨耳。上眞言語 無不與人身應 眞師言語 無不與學人應。
백 일 입 기　옥 지 이　상 진 언 어　무 불 여 인 신 응　진 사 언 어　무 불 여 학 인 응
此是玄中之玄 不可解者也 見性乃知。所以學人必求眞師授記 任性發出 一一
차 시 현 중 지 현　불 가 해 자 야　견 성 내 지　소 이 학 인 필 구 진 사 수 기　임 성 발 출　일 일
皆驗。
개 험

백일입기百日立基는 훌륭한 가르침이다. 지극한 진리의 언어는 사람의 몸에 맞지 않는 것이 없고, 진정한 스승의 말씀은 공부하는 자에게 응하지 않는 것이 없다.

이것은 현중玄中의 현玄이라 생각으로는 해석이 불가하고 본성을 보아야 비로소 알게 된다. 그래서 공부하는 자는 반드시 진정한 스승의 수기授記[4]를 구해야 본성에 맞게 피워 내며 하나하나 모두 경험할 수 있다.

1 태胎: 포태법胞胎法에서는 인간의 일생을 12단계로 나누어 남녀가 결합하여 수정이 이루어질 때를 포胞라 하고, 뱃속에서 이목구비의 오관이 생기는 때를 태胎라고 한다. 어미의 자궁 속에서 감각 기관이 생기는 것을 태胎라고 하는 것처럼, 물속에서 내면을 보는 감각이 생기는 것을 정신의 태胎라고 한다.

2 영아嬰兒: 신생아, 젖먹이를 뜻한다. 영아는 태胎와 같은 의미이다. 정신과 기가 응결하는 것이다.

[道家經義說] 聖胎 神凝氣結也 嬰兒 猶聖胎也

[도가경의설] 성태聖胎는 정신이 뭉치고 기가 응결하는 것이며, 영아嬰兒는 성태와 같다.

3 득력得力: 수행이 힘을 얻는 것. 처음에는 10분도 앉아 있기 힘들었으나 어느 순간부터 정좌가 익숙해지고 억지로 힘쓰지 않아도 공부가 되어가는 것을 수행이 힘을 얻었다는 뜻으로 득력得力이라 한다. 회광은 고요한 호흡을 익히게 되면 그때부터 수행에 힘이 생긴다.

4 수기授記: 스승이 전하는 수행의 기록.

性光　識光　第十

悉從心起有無虛寶咸在念中一息一生持何止百日然百日
亦一息也

百日只在得力畫中得力夜中受用夜中得力畫中受用

百日立基玉旨耳上眞言語無不與人身應眞師言語無不與

學人應此是玄中之玄不可解者也見性乃知所以學人必求

眞師授記任性發出一一皆驗

性光識光第十

金華宗旨
室集二

呂帝曰回光法原通行住坐臥只要自得機竅吾前開示云虛

室生白光非白耶但有一說初未見光時此爲效驗若見光只要無

而有意著之卽落意識非性光也子不管他有光無光只要無

念生念何謂無念千休千處得何謂生念一念一生持此念乃

正念與平日念不同今心爲念者現在心也此心卽光卽藥

凡人視物任眼一照去不及分別此爲性光如鏡之無心而照

也如水之無心而鑑也少頃卽爲識光以其分別也鏡有影已

無鏡矣水有象已非水矣光有識倚何光哉

子輩初則性光轉念則識識念起而光杳不可覓非無光也光已

爲識矣黃帝曰聲動不生聲而生響卽此義也楞嚴准勘入門

曰不在塵不在識惟選根此則認物爲已物必有還通還戶牖明還日月與

借他爲自終非吾有至於不汝還者非汝而誰明還日月見日

回光法　原通行住坐臥　只要自得機竅。
회 광 법　원 통 행 주 좌 와　지 요 자 득 기 규

회광回光의 공법은 원래 행주좌와行住坐臥 모든 일상에 통용되는 것이나, 다만 수행의 기전과 핵심은 스스로 터득해야 한다.

吾前開示云 "虛室生白" 光非白耶?
오 전 개 시 운　허 실 생 백　광 비 백 야

但有一說　初未見光時　此爲效驗　若見爲光　而有意著之　卽落意識　非性光也。
단 유 일 설　초 미 견 광 시　차 위 효 험　약 견 위 광　이 유 의 저 지　즉 락 의 식　비 성 광 야

내가 앞서 말하기를 허실생백虛室生白, 집을 비워 백白을 생한다 하였으니 광光이 바로 백白 아니겠는가?
다만 설명해야 할 것이 하나 있다. 광光을 보지 못하는 초기 수행에서 그것을 수행의 효험이라 여기고, 광을 이루어 보고자 의지가 생겨 이를 만든다면 곧장 의식意識[1]으로 떨어지니 이는 성광性光이 아니다.

子不管他有光無光　只要無念生念。
자 불 관 타 유 광 무 광　지 요 무 념 생 념

그대는 유광有光이나 무광無光이나 괘념치 말라, 오직 무념無念과 생념生念이 중요할 뿐이다.

何謂無念?
하 위 무 념

"千休千處得"。
천 휴 천 처 득

何謂生念? "一念一生" 持此念乃正念　與平日念不同。
하 위 생 념　일 념 일 생　지 차 념 내 정 념　여 평 일 념 부 동

今心爲念 念者 現在心也。此心卽光卽藥。
금심위념 념자 현재심야   차심즉광즉약

무엇이 무념無念인가?
천 번을 멈추고 천 개의 휴식처休息處를 얻는다.
무엇이 생념生念인가? 하나의 염念이 하나의 생이니, 저 염念을 지속하는 것
이 정념正念이며 평소의 상념과는 다른 것이다.
今(지금) 心(마음)이 念(염)이니 염념이란 현재의 마음이다. 이 마음이 바로 광光
이고 약藥이다.

凡人視物 任眼一照去 不及分別 此爲"性光"。如鏡之無心而照也 如水之無心
범인시물 임안일조거 불급분별 차위 성광   여경지무심이조야 여수지무심

而鑑也。少頃卽爲"識光" 以其分別也。鏡有影已無鏡矣 水有象已非水矣。光
이감야   소경즉위 식광   이기분별야   경유영이무경의   수유상이비수의   광

有識 尙何光哉?
유식   상하광재

무릇 사람이 사물을 볼 때에 눈으로 한 번 비추고 지나가는 것이어서 분별
分別[2]이 아직 생기지 않았으니, 이것이 성광性光이다. 마치 거울이 무심하게
비추는 것과 같고, 물이 무심하게 보는 것과 같다. 잠시 후에 바로 식광識光
이 되는 것은 그것을 분별하기 때문이다. 거울에 그림자가 생겼으니 이미
거울은 사라진 것이고, 물에 형상이 있으니 이미 물이 아닌 것이다. 광光에
식識이 있으면 어찌 광이라 하겠는가?

子輩初則性光 轉念則識。識起而光杳不可覓。非無光也 光已爲識矣。黃帝曰
자배초즉성광 전념즉식   식기이광묘불가멱   비무광야   광이위식의   황제왈

"聲動 不生聲而生響" 卽此義也。
성동 불생성이생향   즉차의야

그대들도 처음에는 성광性光이었으나 생각을 굴려 식識이 된다. 식識이 일어나면 광光은 희미해져 찾을 수 없다. 광이 없어진 것이 아니라 광이 이미 식識이 된 것이다. 황제가 말하기를 "소리가 움직였으나 소리를 만들지 않고 울림을 만든다[3]." 하였으니 바로 이러한 의미로다.

《楞嚴推勘入門》曰 "不在塵 不在識 惟選根" 此則何意?
능 엄 추 감 입 문 왈   부 재 진 부 재 식 유 선 근   차 즉 하 의
塵是外物 所謂"器界"也。與吾了不相涉 逐之則認物爲己。
진 시 외 물 소 위 기 계 야   여 오 료 불 상 섭 축 지 즉 인 물 위 기

능엄추감입문에 "진塵[4]에 있지 않고 식識에도 있지 않으니, 오직 근根을 선별하라"고 하였다. 이것이 무슨 뜻인가?
진塵(세속)은 인간 사회이며 외물外物[5]이니 흔히 말하는 '불질세계'이다. 나와는 아무 상관이 없는 것이나, 외물을 뒤쫓아 살다 보면 사물을 인식하여 나를 만든다.

物必有還 通還戶牖 明還日月。
물 필 유 환 통 환 호 유 명 환 일 월
借他爲自 終非吾有。
차 타 위 자 종 비 오 유
至於不汝還者 非汝而誰?
지 어 불 여 환 자 비 여 이 수

사물은 반드시 돌아감이 있으니, 이 건물의 통함은 출입문과 창문으로 돌아가고 이곳의 밝음은 해와 달로 돌아간다.
남을 빌려 나를 만들면 결국은 내가 존재하는 것이 아니다.
"아난아, [너 아닌 것은 다 돌려보내고] 네가 돌리지 못하는 것에 이르면 그것이 너 아니면 누구겠느냐?[6]"

明還日月 見日月之明無還也。天有無日月之時 人無有無見日月之性。
명 환 일 월　견 일 월 지 명 무 환 야　　천 유 무 일 월 지 시　인 무 유 무 견 일 월 지 성

若然則分別日月者 還可與爲吾有耶? 不知因明暗而分別者 當明暗兩忘之時
약 연 즉 분 별 일 월 자　환 가 여 위 오 유 야　　부 지 인 명 암 이 분 별 자　당 명 암 양 망 지 시

分別何在?
분 별 하 재

故亦有還。此爲內塵也。
고 역 유 환　　차 위 내 진 야

이곳의 밝음은 해와 달로 돌아가지만, 해와 달을 보는 눈의 밝음은 돌릴 수
없는 것이다. 저 하늘에는 해와 달이 없을 때도 있지만 사람은 해와 달을
보는 본성이 있다 없다 하는 경우는 없다.
만일 그렇다면 사람이 해와 달을 분별한다는 것은 돌려야 할 것이 내 안에
도 있는 것 아닌가? [해와 달이] 명암을 근거로 분별한다는 것을 모르는 경
우에 명암이란 개념이 둘 다 사라지면 어떻게 분별하겠는가?
그럼 또 돌려야 할 것이 있다. 이것이 내진內塵[7]이다.

惟見性無還。
유 견 성 무 환

見見之時 見非是見 則見性亦還矣。還者 還其識流轉之見性。卽阿難"使汝
견 견 지 시　견 비 시 견　즉 견 성 역 환 의　　환 자　환 기 식 류 전 지 견 성　　즉 아 난　사 여

流轉 心目爲咎"也。
류 전　심 목 위 구　야

오직 보는 본성[8]은 돌릴 수 없는 것이다.
그러나 보이는 것을 볼 때에는 본다고 보는 것이 아니니[9] 보는 본성도 돌려
야 한다. 돌린다는 것은 세속을 떠돌게 하는 '보는 본성'의 그 식識을 돌려
보내는 것이다. 그래서 부처는 아난에게 "아난아, 너로 하여금 세속을 떠돌
게 하는 것은 마음의 눈이 잘못이로구나[10]."라고 말한 것이다.

初八還辨見時　上七者　皆明其一一有還　姑留見性　以爲阿難拄杖。
초 팔 환 변 견 시　상 칠 자　개 명 기 일 일 유 환　고 류 견 성　이 위 아 난 주 장

究竟見性旣帶八識　非眞不還也。最後并此一破　則方爲眞見性　眞不還矣。
구 경 견 성 기 대 팔 식　비 진 불 환 야　최 후 병 차 일 파　즉 방 위 진 견 성　진 불 환 의

처음에 부처가 팔환八還으로 보는 것을 변별할 때에 위 일곱은 그 하나하나
가 돌아갈 수 있음을 모두 밝히고, 보는 본성見性을 잠시 남겨 아난의 지팡
이[11]로 삼은 것이다.

결국 보는 본성은 이미 팔식八識[12]을 갖고 있어 진정 돌리지 못할 것이 아니
다. 최후에 이들을 모아 한 번에 깨뜨려야 비로소 진정한 보는 본성眞見性이
며 진정 돌아가지 않을 것이다.

子輩回光　正回其最初不還之光　故一毫識念用不著。
자 배 회 광　정 회 기 최 초 불 환 지 광　고 일 호 식 념 용 부 저

그대들이 광光을 돌리는 것은 더 이상 돌아가지 않는 최초의 광으로 바로
돌리는 것이다. 그래서 식識이 만드는 생각은 터럭만큼도 소용되지 않는다.

使汝流轉者　惟此六根　使汝成菩提者　亦惟此六根　而塵與識皆不用。非用根也
사 여 류 전 자　유 차 육 근　사 여 성 보 리 자　역 유 차 육 근　이 진 여 식 개 불 용　비 용 근 야

用其根中之性耳。
용 기 근 중 지 성 이

今不墮識回光　則用根中之元性　落識而回光　則用根中之識性。毫釐之辨在此
금 불 타 식 회 광　즉 용 근 중 지 원 성　락 식 이 회 광　즉 용 근 중 지 식 성　호 리 지 변 재 차

也。
야

너로 하여금 세속을 떠돌게 하는 것은 오직 이 육근六根이며, 너로 하여금
보리에 들고 수행을 이루게 하는 것도 오직 이 육근이니, 진塵과 식識은 모
두 소용이 없다. 근根을 사용하는 것이 아니라 근 속에 있는 본성性을 사용

하는 것이다.

이제 식識에 빠지지 않고 광光으로 돌아간다면 근根 속의 원성元性이 작용한 것이고, 식識으로 떨어져 회광回光한다면 근根 속에 있는 식성識性이 작용한 것이다. 아주 작은 변별점이 여기에 있다.

用心卽爲識光　放下乃爲性光。
용심즉위식광　방하내위성광

毫釐千里　不可不辨。
호리천리　불가불변

識不斷　則神不生　心不空　則丹不結。
식부단　즉신불생　심불공　즉단불결

마음을 쓰면 식광識光이고 모든 것을 내려놓아야 성광性光이다.

작은 차이로 천리만큼 벌어지니 변별하지 않으면 안 된다.

식識을 끊지 못하면 정신을 살리지 못하고, 마음을 비우지 못하면 단丹을 맺지 못한다.

心淨則丹　心空卽藥。
심정즉단　심공즉약

不著一物　是名心淨　不留一物　是名心空。
부저일물　시명심정　불류일물　시명심공

심정心淨이 단丹이고 심공心空이 약藥이다.

마음으로 하나도 만들지 않으면 이것이 심정心淨이며, 마음에 하나도 담아두지 않으면 이것이 심공心空이다.

空見爲空　空猶未空　空忘其空　斯名眞空。
공견위공　공유미공　공망기공　사명진공

부질없는 소견으로 공空을 삼으면 공空은 여전히 비워지지 않고
비움으로 그 공空이 사라지면 이것이 진공眞空이다.

1 의식意識: ①사람이 깨어 있을 때 자신이나 사물에 대해 인식하고 분별하는 정신 기능. ②개인이나 집단이 견해, 사상, 감정 같은 것을 역사적 사회적으로 습득하고 공유하는 정신 기능.

2 분별分別: ①서로 구별區別을 지어 편을 가르는 것. ②사람이나 사물을 어떤 하나의 기준으로 나누고 거기에 따라 차별을 두는 것.

3 성동불생성이생향聲動不生聲而生響: 열자 천서天瑞편의 글.

[列子] 黃帝書曰 形動不生形而生影 聲動不生聲而生響 無動不生無而生有

[열자] 황제서에 이르기를 형形이 움직였으나 형形을 만들지 않고 그림자를 만들며, 소리가 움직였으나 소리를 만들지 않고 울림을 만들며, 무無가 움직였으나 무無를 만들지 않고 유有를 만든다.

4 진塵: 티끌 진. 진塵은 세속을 뜻하며, 집단으로 살아가는 인간 사회를 뜻한다. 인간은 오감과 마음으로 사회의 정보를 받아들이고, 이 정보가 의식 속으로 들어가 정신의 방향을 사회로 돌리고 본성을 보지 못하게 막기 때문에 진塵이라 부르고, 인간 세상을 속세俗世라고 낮춰 부른다.

5 외물外物: 신외지물身外之物. 자기 이외의 것, 곧 재물 부귀 명리名利 등등.

6 불여환자不汝還者 비여이수非汝而誰: 능엄경에서 부처는 진짜 '나'를 찾는 방법을 설명한다. 인간이 외물을 추종하다 보니 사물을 인식하는 기능을 '나'라고 생각하고 사물을 더 많이 인식하는 것을 '성장'이라고 생각한다. 그렇게 나를 만들었으니 나를 이루는 것들 중에서 밖에서 온 것은 다 돌려보내고 마지막에 내가 돌려보내지 못하는 것이 있다면, 그것이 바로 '진정한 나' 아닐까? 그렇다면 다 돌려보내고 끝내 돌려보낼 수 없는 '나'는 무엇인가?

[楞嚴經] 諸可還者 自然非汝 不汝還者 非汝而誰

[능엄경] 돌려보낼 수 있는 모든 것은 자연히 네가 아니며, 네가 돌리지 못하는 것이 너 아니면 누구인가?

7 내진內塵: 내면에 있는 물질세계.

8 견성見性: 볼 견, 본성 성. ①보는 본성. ②본성을 본다.

9 견견지시見見之時 견비시견見非是見: 보이는 것을 볼 때에는 본다고 보는 것이 아니다. 능엄경에 있는 글.

[楞嚴經] 見明之時 見非是明 見暗之時 見非是暗 見空之時 見非是空 見塞之時 見非是塞 見見之時 見非是見

[능엄경] 밝음을 볼 때에 본다고 밝아지는 것이 아니며, 어둠을 볼 때에 본다고 어두워지는 것도 아니고, 빈 곳을 볼 때에 본다고 비워지는 것도 아니며, 막힌 곳을 볼 때에 본다고 막히는 것도 아니니, 보이는 것을 볼 때에는 본다고 보는 것이 아니다.

10 사여류전使汝流轉 심목위구心目爲咎: '너로 하여금 세속을 떠돌게 하는 것은 마음과 눈이 잘못이다'. 능엄경에 있는 글. 능엄경의 이러한 글들은 실제 있었던 대화의 기록이 아니라 대화의 형식을 취하고 있는 경전이다.

[楞嚴經] 佛告阿難 如汝所說 眞所愛樂 因于心目. 若不識知心目所在 則不能得降伏塵勞. 譬如國王 爲賊所侵 發兵討除 是兵要當 知賊所在. 使汝流轉 心目爲咎 吾今問興 唯心與目 今何所在.

[능엄경] 부처가 아난에게 말하기를, 네가 말하는 것처럼 진정 좋아하는 것은 마음과 눈 때문이다. 만약 마음과 눈이 있는 곳을 인식해 알지 못한다면 세속에 애쓰는 마음을 항복시킬 수 없다. 비유하자면 국왕이 적의 침입을 받아 군대를 보내 토벌함에 이 군대에게 중요한 것은 당연히 적이 있는 곳을 아는 것이다. 너로 하여금 세속을 떠돌게 하는 것은 마음과 눈의 잘못이다. 내가 지금 너에게 묻노니, 마음과 눈이 지금 어느 곳에 있는가?

11 주장拄杖: ①지팡이, 짚고 의지하는 막대기 ②주장자拄杖子

12 팔식八識: 유식론에서 분류하는 인간의 여덟 가지 인식 기능. 안식眼識 이식耳識 비식鼻識 설식舌識 신식身識 의식意識 말나식末那識 아라야식阿羅耶識.

※ [楞嚴經] 而白佛言 我雖承佛如是妙音 悟妙明心元所圓滿常住心地 而我悟佛現說法音 現以緣心允所瞻仰 徒獲此心未敢認爲本元心地. 願佛哀愍宣示圓音 拔我疑根歸無上道.

[능엄경] (아난이) 부처에게 아뢰기를, 제가 비록 부처의 가르침을 받들어 묘명妙明한 마음의 근원이 항상 상주常住하는 원만한 마음자리를 깨우쳤으나, 제가 당장은 설법하는 소리로 부처를 알아보고, 당장은 인연으로 생긴 마음緣心에서 진실로 우러르나, 다만 저 마음을 얻었을 뿐이며 본원의 마음자리를 이루는 인식이 아닙니다. 원컨대 부처께서 저희를 가엽게 여기시어 원음圓音을 베푸시고 의혹의 뿌리를 뽑아 최고의 도道에 들어가게 하소서.

佛告阿難 汝等尙以緣心聽法 此法亦緣非得法性. 如人以手指月示人 彼人因指當應看月 若復觀指以爲月體 此人豈唯亡失月輪 亦亡其指. 何以故 以所標指爲明月故. 豈唯亡指 亦復不識明之與暗. 何以故 卽以指體爲月明性 明暗二性無所了故.

부처가 아난에게 말하기를, 너희들이 아직은 인연으로 생긴 마음緣心에서 법法을 따르니, 이 법이 또한 인연일 뿐 법의 본성에 이른 것이 아니다. 가령 어떤 사람이 손가락으로 달을 가리켜 다른 이에게 보인다면 그 사람은 당연히 손가락을 따라 달을 보아야 한다. 만약 손가락을 보고 달이라 여긴다면 그 사람이 어찌 달만 잃겠는가, 그 손가락도 잃는다. 왜인가? 가리키는 손가락을 밝은 달로 여겼기 때문이다. 어찌 손가락만 잃겠는가, 다시는 달의 밝음과 어둠을 알 수 없게 되었다. 왜인가? 손가락 자체를 달의 밝은 본성으로 여겼으니 밝음과 어둠 두 본성을 깨우칠 방법이 없어졌기 때문이다.

汝亦如是 若以分別我說法音爲汝心者 此心自應離分別音有分別性. 譬如有客寄宿旅亭暫止便去終不常住 而掌亭人都無所去名爲亭主. 此亦如是 若眞汝心則無所去. 云何離聲無分別性 斯則豈唯聲分別心 分別我容離諸色相無分別性 如是乃至分別都無非色非空. 拘舍離等昧爲冥諦 離諸法緣無分別性 則汝心性各有所還 云何爲主.

너도 역시 마찬가지이니, 만일 내가 설법하는 소리를 분별하는 마음이 너의 마음이라면, 분별할 소리가 사라지더라도 그 마음에는 자연히 분별하는 마음이 남아있어야 한다. 비유하자면, 여관에 기숙하는 나그네는 잠시 머물다 떠나니 끝까지 상주常住하지 않고, 여관을 관장하는 사람은 떠나가지 않고 항상 상주하니 여관의 주인이라 불리는 것과 같다. 이와 마찬가지로 만일 진정한 네 마음이라면 떠나갈 곳이 없을 것이다. 왜 소리가 사라지면 분별하는 마음이 없어지는 것인가? 이것이 어찌 소리를 분별하는 마음뿐이겠는가, 나의 용모를 분별하는 것도 모든 색과 형상을 떠나면 분별하는 마음이 없어지며, 이렇게 하면 분별이 모두 없어짐에 이르니 색色도 아니고 공空도 아니다. 몽매한 자들은 이를 명제冥諦로 여기나, 모든 법의 인연을 떠나면 분별하는 마음도 없어지니, 곧 너의 심성에는 제각각 돌아갈 곳이 있는 것이라 어찌 주인이라 하겠는가?

阿難言 若我心性各有所還 則如來說妙明元心云何無還.
아난이 말하기를, 만약 제 심성에 제각각 돌아갈 곳이 있다면 여래께서 설하신 묘명한 본래 마음은 어찌 돌아감이 없나이까?

坎離交媾 第十一

道藏輯要

用根中之識性毫釐之辨在此也

用心卽為識光放下乃為性光毫釐千里不可不辨

識不斷則神不生心不空則丹不結

心淨則丹心空卽藥不著一物是名心淨不留一物是名心空

空見為空猶未空忘其空斯名真空

坎離交媾第十一

呂帝曰凡漏泄精神動而交物者皆離也凡收轉神識靜而

涵者皆坎也七竅之外走者為離七竅之內返者為坎一陰主

於逐色隨聲一陽主於返聞收見坎離卽陰陽陰陽卽性命

命卽身心卽神炁一自歛息精神不為境緣流轉卽是真

玉　全集二

凡漏泄精神 動而交物者 皆離也。
범 누 설 정 신　동 이 교 물 자　개 리 야

정精과 신神을 누설하고 마음을 움직여 외물과 교류하는 것은 모두 이화離火
의 작용이다.

凡收轉神識 靜而中涵者 皆坎也。
범 수 전 신 식　정 이 중 함 자　개 감 야

신神과 식識을 수렴하고 마음을 고요하게 내면을 함양하는 것은 모두 감수坎
水의 작용이다.

七竅之外走者爲離 七竅之內返者爲坎。
칠 규 지 외 주 자 위 리　칠 규 지 내 반 자 위 감

[정신과 기운이] 칠규七竅(머리) 밖으로 달리면 이화離火가 되고, 칠규七竅(머리)
안으로 돌아오면 감수坎水가 된다.

一陰主於逐色隨聲 一陽主於返聞收見。
일 음 주 어 축 색 수 성　일 양 주 어 반 문 수 견

일음一陰은 색을 쫓고 명성을 추종하는 주체이고, 일양一陽은 듣는 것을 되돌
리고 보는 것을 거두는 주체이다.

坎離卽陰陽 陰陽卽性命 性命卽身心 身心卽神氣。
감 리 즉 음 양　음 양 즉 성 명　성 명 즉 신 심　신 심 즉 신 기

감리坎離가 곧 음양陰陽이고, 음양이 곧 성명性命이며, 성명이 곧 몸과 마음
이고, 몸과 마음이 곧 정신과 기운이다.

一自斂息 精神不爲境緣流轉 卽是眞交。而沈默趺坐時 又無論矣。
일자렴식 정신불위경연류전 즉시진교   이침묵부좌시 우무론의

하나로 수렴하고 멈춘 이후로는 정신이 인연에 끌려 떠돌지 않으니, 이것이
진정한 교구이다. 침묵으로 정좌할 때에는 더 논할 필요가 없다.

周天 第十二
주천 제 1 2

周天第十二

交而沈默趺坐時又無論矣

呂帝曰周天非以氣作主以心到爲妙訣若畢竟如何周天是助長也無心而守無意而行仰觀乎天三百六十五度刻刻變遷而斗柄終古不動吾心亦猶是也卽璇璣氣卽羣星吾身之氣四肢百骸原是貫通不要十分著力於此鍛鍊識神斷除妄見然後藥生藥非有形之物此性光也而卽先天之眞炁然必於大定後方見亜無探法言採者大謬矣見之旣久心地光明自然心空漏盡解脫塵海若今日龍虎明日水火終成妄想去吾昔愛火龍眞人口訣如是不知丹書所說更何如也

金華宗旨
寶集二

一日有一周天一刻有一周天坎離交處便是一周我之交卽天之迴旋也未能當下休歇所以有交之時卽有不交之時然天之迴旋未嘗少息果能陰陽交泰大地陽和我之中宮正位萬物一時暢遂卽丹經沐浴法也非大周天而何此中火候實何物天地爲何等孰爲交孰爲一周兩周何處覺大小之分別寶有大小不同究竟無大小可別到得功夫自然不知大小之分別耶總之一身旋運見得極大亦小若一迴旋自然不自然天之迴旋卽在方寸處亦爲極大金丹火候要歸自然不如天時地自遷天地萬物各歸萬物欲强之使合卽不能合卽如天地之迴旋見得天地萬物悉與尤旱陰陽不合乾坤未嘗一日不周然終見得有多少不自然

周天非以氣作主 以心到爲妙訣。若畢竟如何周天 是助長也 無心而守 無意而
주천비이기작주 이심도위묘결 약필경여하주천 시조장야 무심이수 무의이
行。
행

仰觀乎天 三百六十五度 刻刻變遷 而斗柄終古不動。吾心亦猶是也 心卽璇璣
앙관호천 삼백육십오도 각각변천 이두병종고부동 오심역유시야 심즉선기.
氣卽群星。吾身之氣 四肢百骸 原是貫通 不要十分著力於此。
기즉군성 오신지기 사지백해 원시관통 불요십분저력어차

주천周天은 기氣로 주관할 것이 아니라 마음으로 닿아야 뛰어난 비결이 된다.
만약 끝까지 주천한다면 어찌 되겠는가? 이것이 잘못의 조장이니, 무심無心
으로 지키고 무의無意로 수행하라.
우러러 하늘을 보라, 365도 시시각각 변화하고 옮겨가지만 두병斗柄은 예부
터 움직이지 않는다. 우리 마음도 이와 같아서 마음이 중심이고 기氣는 무
수한 별들이다. 우리 몸의 기는 원래가 사지 백해에 두루 관통하는 것이라
이것을 돌리려 애써 힘쓸 필요가 없다.

鍛鍊識神 斷除妄見 然後藥生。藥非有形之物 此性光也 而卽先天之眞氣。然
단련식신 단제망견 연후약생 약비유형지물 차성광야 이즉선천지진기 연
必於大定後方見 並無採法 言採者大謬矣。
필어대정후방견 병무채법 언채자대류의

식識정신을 단련하여 망령된 생각과 견해를 끊고 제거하여야 그 후에 약藥
이 생긴다. 약은 유형한 물질이 아니라 성광性光이며 선천의 진정한 기운眞氣
이다. 그러나 반드시 대정大定을 이룬 후에 볼 수 있고, 또한 단전에서 채약
하는 채법採法이란 실재하지 않으니 채법을 언급하는 것 자체가 큰 오류이
다.

見之旣久 心地光明 自然心空漏盡 解脫塵海。若今日"龍虎" 明日"水火" 終成
견지기구 심지광명 자연심공루진 해탈진해 약금일 용호 명일 수화 종성

妄想去。
망 상 거

吾昔受火龍眞人口訣如是 不知丹書所說 更何如也。
오 석 수 화 룡 진 인 구 결 여 시 부 지 단 서 소 설 갱 하 여 야

이러한 견해를 오래도록 유지하여 마음속 대지大地가 밝혀지면 자연히 마음은 비워지고 누설漏泄은 사라지며 물질의 바다를 벗어나 해탈한다. 만약 단학의 이론을 따라 오늘은 용호龍虎를 내일은 수화水火를 찾는다면 끝내 망상을 이루리라.

지난날 내가 화룡진인火龍眞人에게 받은 구결이 이와 같고, 단서丹書에서 설명하는 바가 더 어떠한지 알지 못한다.

一日有一周天 一刻有一周天。坎離交處便是一周。我之交 卽天之迴旋也 未
일 일 유 일 주 천 일 각 유 일 주 천 감 리 교 처 변 시 일 주 아 지 교 즉 천 지 회 선 야 미

能當下休歇。所以有交之時 卽有不交之時。然天之迴旋未嘗少息。果能陰陽
능 당 하 휴 헐 소 이 유 교 지 시 즉 유 불 교 지 시 연 천 지 회 선 미 상 소 식 과 능 음 양

交泰 大地陽和 我之中宮正位 萬物一時暢遂 卽丹經"沐浴法"也。
교 태 대 지 양 화 아 지 중 궁 정 위 만 물 일 시 창 수 즉 단 경 목 욕 법 야

하루에 하나의 주천周天이 있고 일각에도 하나의 주천이 있다. 감리坎離가 교류하는 시간이 바로 하나의 주기이다. 우리가 말하는 교류는 하늘의 회전이라 당장 쉬거나 멈출 수 없다. 교류에 때가 있으면 교류를 못하는 때가 생기기 마련이다. 그러나 하늘의 회전은 잠시도 멈춘 적이 없다. 우리가 음양을 교류하여 하나될 수 있다면, 대지大地는 양기로 충만하고 우리의 중궁中宮이 바르게 자리하며 정신과 육체의 모든 만물이 한순간에 번창하니, 바로 단경丹經의 목욕법沐浴法이다.

非大周天而何?
비 대 주 천 이 하

此中火候實實有大小不同　究竟無大小可別。到得功夫自然　不知坎離爲何物
차 중 화 후 실 실 유 대 소 부 동　구 경 무 대 소 가 별　도 득 공 부 자 연　부 지 감 리 위 하 물

天地爲何等　孰爲交　孰爲一周兩周　何處覓大小之分別耶?
천 지 위 하 등　숙 위 교　숙 위 일 주 양 주　하 처 멱 대 소 지 분 별 야

대주천大周天이 아니면 이것이 무엇인가?

저 가운데 연단하는 과정 중에서 진짜 크고 작은 차이가 있어 보이나 결국
에는 별 차이가 없다. 공부가 자연의 법도에 이르면 감리가 무엇인지 천지
가 무엇인지 알지 못해도 누구나 교류하고 누구나 일주천, 이주천하니 어디
에서 크고 작은 차이를 찾겠는가?

總之一身旋運　雖見得極大亦小　若一迴旋　天地萬物　悉與之迴旋　即在方寸處
총 지 일 신 선 운　수 견 득 극 대 역 소　약 일 회 선　천 지 만 물　실 여 지 회 선　즉 재 방 촌 처
亦爲極大。
역 위 극 대

다시 말해 자기 한 몸 운행하는 것이 지극히 크게 보이겠지만 역시 사소하
고, 만일 하나로 회전한다면 천지만물이 다 같이 회전하니 사방 한치의 좁
은 공간에 있을지라도 지극히 위대하다.

金丹火候　要歸自然　不自然　天地自還天地　萬物各歸萬物　欲强之使合　終不能
금 단 화 후　요 귀 자 연　부 자 연　천 지 자 환 천 지　만 물 각 귀 만 물　욕 강 지 사 합　종 불 능
合。即如天時亢旱　陰陽不合　乾坤未嘗一日不周　然終見得有多少不自然處。
합　즉 여 천 시 항 한　음 양 불 합　건 곤 미 상 일 일 불 주　연 종 견 득 유 다 소 부 자 연 처

금단金丹의 수련은 자연으로 돌아가는 것이 중요하다. 자연이 아니면 천지天
地는 천지로 저절로 돌아가고 만물은 만물로 제각각 돌아가니, 억지로 합하
게 하여도 끝내 합을 이루지 못한다. 하늘에 큰 가뭄이 드는 것처럼, 건곤乾
坤이 하루도 빠짐없이 순환하여도 음양을 합하지 못하면 결국 자연스럽지
못한 이상 현상을 자주 보게 된다.

我能轉運陰陽 調適自然 一時雲蒸雨降 草木酣適 山河流暢 縱有乖戾 亦覺頓
아 능 전 운 음 양 조 적 자 연 일 시 운 증 우 강 초 목 감 적 산 하 류 창 종 유 괴 려 역 각 돈
釋 此卽大周天也。
석 차 즉 대 주 천 야

우리가 자연에 맞게 음양을 운전할 수 있다면 한순간에 구름이 모여 비가
내리고 초목草木이 무성하며 강물이 거침없이 흐르고, 설령 부조리한 일이
있어도 깨달음으로 한 번에 풀어내니 이것이 바로 대주천大周天이다.

子等問 "活子時甚妙 然必認定正子時 似著相?"
자 등 문 활 자 시 심 묘 연 필 인 정 정 자 시 사 저 상

제자들이 묻기를 "활자시活子時가 심히 오묘하나, 반드시 정자시正子時를 인
정해야 모습이 나타날 것 같습니까?"

不著相 不指明正子時 何從而識活子時? 旣識得活子時 確然又有正子時。
부 저 상 부 지 명 정 자 시 하 종 이 식 활 자 시 기 식 득 활 자 시 확 연 우 유 정 자 시
是一是二 非正非活 總要人看得眞。一眞則無不正 無不活矣 見得不眞 何者
시 일 시 이 비 정 비 활 총 요 인 간 득 진 일 진 즉 무 부 정 무 불 활 의 견 득 부 진 하 자
爲活 何者爲正耶?
위 활 하 자 위 정 야

모습은 드러내지 못하지만, 정자시正子時를 명확하게 밝히지 못하면 어떻게
활자시活子時를 인식하겠는가? 이미 활자시를 인식했다면 정자시도 확연히
존재한다. 하나이며 둘이고 정正이 아니면 활活도 아니니, 결국 사람은 참을
볼 수 있어야 한다. 하나인 참은 정 아닌 것이 없고 활 아닌 것이 없으니,
참을 보지 못하면 무엇으로 활活을 이루고 무엇으로 정正을 이루겠는가?

即如活子時 是時時見得的 畢竟到正子時 志氣清明 活子時愈覺發現。人未識
즉 여 활 자 시 시 시 시 견 득 적 필 경 도 정 자 시 지 기 청 명 활 자 시 유 각 발 현   인 미 식

得活的明了 只向正的時候驗取 則正者現前 活者無不神妙矣。
득 활 적 명 료 지 향 정 적 시 후 험 취 즉 정 자 현 전 활 자 무 불 신 묘 의

예컨대 활자시를 때때로 볼 수 있을 것 같아도 결국은 정자시에 이르러 마음의 뜻과 기운이 맑고 깨끗하여야 활자시가 점점 깨어나고 드러난다. 사람들이 活을 명료하게 인식하지 못하고 正의 시간적인 변화만 경험하여 바라본다면, 正이 눈앞에 있어도 活은 헤아릴 수 없다.

直我羣要 ▶
金華宗旨
〔室集二〕

勸世歌第十三

呂帝曰吾因度世丹衷熱不惜婆心幷饒舌世尊亦爲大因緣

處我龍運轉陰陽調適自然一時雲蒸雨降草木酬適山河流
暢縱有乖戾亦蹵頓釋此卽大周天也
子等問活子時甚妙然必認定正子時似著相不著相不指明
正子時何從而識活子時旣識得活子時確然又有正子時是
一是二非正非活總要人看得眞一眞則無不正無不活矣見
得不眞何者爲活何者爲正耶卽如活子時是時時見得的畢
竟到正子時志氣淸明愈覺發現人未識得活的明了
只向正的時候驗取則正者現前活者無不神妙矣

直指生死眞可惜老君也患有吾身傳示谷神人不識吾今畧
說羣眞路黃中通理載大易正位居體是左關子午中間甚定
息光同祖竅萬神安藥產川源一炁出透慎變化有金光一鑑
紅日常赫赫世人錯認坎離精搬運心腎成間隔如何人道仝
天心天若符兮道自合放下萬緣毫不起此是先天眞無極太
虛穆穆朕兆指性命關頭一旦空玉京降下九龍冊步香漢兮登天
玄難測無始煩障命關頭志意識意志後見本眞水淸珠現
掌風霆兮驅霹靂凝神定息是初機退藏密地爲常寂
吾昔度張珍奴二詞皆有大道子後午前非時也坎離耳定恩
耆息息歸根恨中苦也坐者心不動也夾脊者非背上輪子乃直

151

吾因度世丹衷熱　不惜婆心幷饒舌。
오 인 도 세 단 충 열　불 석 파 심 병 요 설

世尊亦爲大因緣　直指生死眞可惜　老君也患有吾身　傳示谷神人不識　吾今略說
세 존 역 위 대 인 연　직 지 생 사 진 가 석　노 군 야 환 유 오 신　전 시 곡 신 인 불 식　오 금 략 설

尋眞路。
심 진 로

세상을 깨우려는 뜨거운 마음에 자비심을 아끼지 않고 아울러 말하겠다.
석가세존이 큰 인연을 위해 생사의 실체를 가리켰으나 매우 안타깝고, 태상
노군이 인세人世를 걱정하여 곡신谷神을 전하였으나 사람들이 알지 못하니
이제는 내가 간략히 설명하겠다. 부디 참된 길을 찾으라.

"黃中通理"載《大易》"正位居體"是玄關　子午中間堪定息。
황 중 통 리 재 대 역　정 위 거 체 시 현 관　자 오 중 간 감 정 식

光回祖竅萬神安　藥産川源一氣出　透幕變化有金光　一輪紅日常赫赫。
광 회 조 규 만 신 안　약 산 천 원 일 기 출　투 막 변 화 유 금 광　일 륜 홍 일 상 혁 혁

世人錯認坎離精　搬運心腎成間隔。如何人道合天心　天若符兮道自合。
세 인 착 인 감 리 정　반 운 심 신 성 간 격　여 하 인 도 합 천 심　천 약 부 혜 도 자 합

황중黃中으로 통하는 이치는 대역에 있고 정위거체正位居體는 현관玄關이니 자
오子午의 중간에서 호흡을 견디며 고정하라.
광光이 조규祖竅로 돌아가면 모든 정신이 안정되고, 약藥은 천원川源에서 자
라나 일기一氣로 출현한다. 장막을 뚫는 변화에 금광金光이 있고, 한 덩어리
붉은 해는 언제나 찬란하다.
사람들이 감리坎離를 오해하고 심장과 신장으로 옮겨 인체에 간격을 만들었
네. 어찌하여야 인간의 도道가 하늘의 마음에 일치할까? 하늘에 맞춘다면
도道는 저절로 일치하리.

放下萬緣毫不起　此是先天眞無極　太虛穆穆朕兆捐　性命關頭忘意識。
방하만연호불기　차시선천진무극　태허목목짐조연　성명관두망의식

意識忘後見本眞　水淸珠現玄難測　無始煩障一旦空　玉京降下九龍冊
의식망후견본진　수청주현현난측　무시번장일단공　옥경강하구룡책

步霄漢兮登天關　掌風霆兮驅霹靂。
보소한혜등천관　장풍정혜구벽력

凝神定息是初機　退藏密地爲常寂。
응신정식시초기　퇴장밀지위상적

모든 인연을 내려놓고 터럭만큼도 일어나지 않으면
이것이 선천先天이며 진정한 무극無極이오.
태허太虛는 심원深遠하고 실낱같은 조짐마저 버리니
성명性命의 마지막 관문은 망의식忘意識이다.
의식意識이 사라진 뒤에야 본래의 참眞이 보이고
물이 맑아야 구슬이 드러나는구나, 현도玄道는 난측難測이다.
끝없는 번뇌의 장막이 한순간에 사라지고 옥경玉京이 내려와 구룡九龍을 책
봉한다. 푸른 하늘을 걸어 천관天關에 오르고 손으로 천둥을 치며 벼락을 부
린다.
정신을 모으고 호흡을 고정하면 수행이 시작되고, 모습을 감추고 땅으로 들
어가면 늘 깊고 고요하다.

吾昔度張珍奴二詞　皆有大道　子後午前非時也　坎離耳。
오 석 탁 장 진 노 이 사　개 유 대 도　자 후 오 전 비 시 야　감 리 이

定息者　息息歸根　中黃也　坐者　心不動也。
정 식 자　식 식 귀 근　중 황 야　좌 자　심 부 동 야

夾脊者　非背上輪子　乃直透玉京大路也　雙關者　此處有難言者。
협 척 자　비 배 상 륜 자　내 직 투 옥 경 대 로 야　쌍 관 자　차 처 유 난 언 자

地雷震動山頭者　眞氣生也　黃芽出土者　藥生也。
지 뢰 진 동 산 두 자　진 기 생 야　황 아 출 토 자　약 생 야

옛적에 장진노의 시문詩文을 헤아려 보니 모두 대도를 품고 있었다.
자후오전子後午前은 시간이 아니라 감리坎離이다.
정식定息이란 호흡을 멈추고 뿌리로 돌아가니 중황中黃이며
좌坐는 마음이 움직이지 않는 것이다.
협척夾脊은 등의 척추가 아니라 옥경玉京의 큰 길을 관통하는 것이며
쌍관雙關은 이곳에 말로 표현할 수 없는 것이 있다.
지뢰진동산두地雷震動山頭는 진기眞氣가 생하는 것이고
황아출토黃芽出土는 약藥이 생하는 것이다.

小小二段 已盡修行大路 明此可不惑人言。
소소이단 이진수행대로 명차가불혹인언

소소한 몇 개의 문장으로 수행의 큰길을 모두 적시하였으니
이를 똑똑히 기억하면 사람들의 말에 혹하지 않으리라.

回光在純心行去 只將眞息凝照于中宮 久之自然通靈達變也。
회광재순심행거 지장진식응조우중궁 구지자연통령달변야
總是心靜氣定爲基 心忘氣凝爲效
총시심정기정위기 심망기응위효
氣息心空爲丹成 心氣渾一爲溫養 明心見性爲了道。
기식심공위단성 심기혼일위온양 명심견성위료도

회광回光은 순수한 마음으로 행하는 과정에 있고 오직 진식眞息만이 중궁中宮
에 머무르며 비출 수 있으니, 이를 오래 수행하면 자연히 영과 소통하고 변
화를 이룬다.
대체로 마음이 고요하게 기운을 고정할 수 있으면 수행의 기초를 이룬 것이
고, 마음이 사라지게 기운을 뭉칠 수 있으면 수행의 효험이니, 기를 멈추고

마음을 비우면 단성丹成이며, 마음과 기운이 온전히 하나되면 온양溫養이고,
마음을 밝혀 본성이 보이면 요도了道이다.

子輩各宜勉力行去。錯過光陰可惜也。
자 배 각 의 면 력 행 거   착 과 광 음 가 석 야
一日不行　一日卽鬼也　一息行此　一息眞仙也。
일 일 불 행　일 일 즉 귀 야　일 식 행 차　일 식 진 선 야
勉之。
면 지

그대들은 각자의 길을 힘써 수행하라.
허투루 보낸 시간이 아깝고 아깝구나.
하루를 행하지 않으면 하루는 죽은 자의 것이고
일식一息으로 이를 행하면 일식 동안 진선眞仙이다.
근면하라.

송 석 봉

소심한 소음인이며 내면을 사는 INFP

30년차 한의사

마인드컨트롤, 주문 수행, 동작 회로, 태극권 등 수련

대학원에서 학교 상담 수료 후 분석심리학에 심취

최인호의 '길 없는 길'과 경허, 만공의 일대기를 읽고 선지식의 세계에 입문

꿈에서 길을 찾고자 30대와 50대에 융학파 분석가에게 꿈 분석

꿈 분석 중 칼 융의 Red Book에서 도교 고전과의 유사성 발견하고

이후 초간 노자(老子), 태을금화종지(太乙金華宗旨) 번역

hanldaum@daum.net

完譯 태을금화종지 太乙金華宗旨

발 행 | 2023년 12월 28일
번 역 | 송 석 봉
펴낸이 | 한건희
펴낸곳 | 주식회사 부크크
출판사등록 | 2014.07.15(제2014-16호)
주 소 | 서울특별시 금천구 가산디지털1로 119 SK트윈타워 A동 305호
전 화 | 1670-8316
이메일 | info@bookk.co.kr
ISBN | 979-11-410-6257-6
www.bookk.co.kr